101 grandes respuestas a las más difíciles preguntas en entrevistas de trabajo

Ron Fry

Revisor técnico y adaptador
Roberto Manuel Gutiérrez Jacinto

CENGAGE
Learning™

Australia • Brasil • Corea • España • Estados Unidos • Japón • México • Reino Unido • Singapur

101 Grandes respuestas a las más difíciles preguntas en entrevistas de trabajo
Ron Fry

Presidente de Cengage Learning Latinoamérica:
Javier Arellano Gutiérrez

Director general México y Centroamérica:
Pedro Turbay Garrido

Director editorial Latinoamérica:
José Tomás Pérez Bonilla

Director de producción:
Raúl D. Zendejas Espejel

Coordinadora editorial:
María Rosas López

Editora:
Rocío Cabañas Chávez

Editora de producción:
Gloria Luz Olguín Sarmiento

Diseño de portada:
Studio 2.0

Composición tipográfica:
Silvia Plata Garibo
César Sánchez Jiménez

Traducido del libro *101 Great Answers to the toughest interview questions*
Publicado en inglés por Thomson Delmar Learning ©2007
ISBN: 1-4180-4000-2

Datos para catalogación bibliográfica
Fry, Ron
101 Grandes respuestas a las más difíciles preguntas en entrevistas de trabajo
ISBN-13: 978-607-481-004-2
ISBN-10: 607-481-004-4

Visite nuestro sitio en:
http://latinoamerica.cengage.com

Impreso y hecho en México
1 2 3 4 5 6 7 12 11 10 09

CONTENIDO

INTRODUCCIÓN

Uno, dos, tres... ¡luz verde!

Hace casi 15 años se publicó la primera edición de *101 grandes respuestas a las más difíciles preguntas en entrevistas de trabajo*. No obstante, su relevancia ha ido creciendo en un mercado laboral siempre dinámico. Pero el poder que esta obra proporciona a los candidatos a un empleo, sin importar su edad, sus habilidades o sus capacidades, ha aumentado cada año.

Yo no hubiera podido hacer alarde de mis habilidades en las entrevistas antes de preparar este libro. Por el contrario, con frecuencia no obtuve empleos para los cuales estaba calificado, así que debí invertir mucho tiempo en aprender de todos los errores que cometí varias veces y en los que usted podría caer.

Ahora, como reclutador experimentado, puesto que he contratado a cientos de personas y entrevistado a miles, puedo decirle que la entrevista es un asunto más serio que nunca.

Las empresas buscan empleados que sean autosuficientes; es decir, personas que sean versátiles, confiables, dispuestas y hábiles para trabajar en equipo, remangarse la camisa o la blusa, laborar largas jornadas y hacer lo que deba hacerse.

"Ése soy yo", dirá usted. Felicitaciones, pero no tendrá oportunidad de demostrarlo en el trabajo, a menos que supere el proceso de entrevista.

Entrevistar nunca fue sencillo y en la actualidad es más difícil que nunca. Las empresas se toman más tiempo para llevar a cabo decisiones de contratación y sólo después de someter a los empleados potenciales a más entrevistas de mayor duración. Una agencia de colocación de empleos reporta que muchos candidatos han tenido que acudir a media docena de entrevistas o más para ocupar un solo puesto.

Pero de todas las herramientas de su arsenal profesional, su habilidad para brillar durante ese breve momento, su primera entrevista, puede significar que usted tenga o no la segunda y, en última instancia, dictar si le darán una oportunidad en ese empleo.

¿CÓMO LLEGO AL CARNEGIE HALL?

Como tocar el piano, la entrevista requiere práctica, y la práctica conduce a la perfección. Las horas de experiencia personal en entrevistas, tanto las tragedias como los triunfos, así como mi experiencia como entrevistador son los fundamentos de este libro. Espero ahorrarle muchas de las humillaciones que sufrí a lo largo del camino con el fin de ayudarle a prepararse para las peores entrevistas desde la cómoda posición del entrevistado.

¿Tendrá usted que responder a todas las preguntas que he incluido? Seguro que no; al menos no en una sola entrevista, pero es probable que las preguntas que el entrevistador de la mañana no le formule, estén en la punta de la lengua del siguiente entrevistador. ¿Por qué? Es un misterio.

CÓMO PINTAR UN CUADRO

La mayoría de los entrevistadores no intentarán torturarlo por mero entretenimiento. Su objetivo es saber en poco tiempo lo más posible acerca de usted para tomar una decisión informada. ¿Debe quedarse o marcharse? En el mismo tenor, si usted sabe qué es lo que ellos buscan, puede orientar mejor sus respuestas en ese sentido y, al mismo tiempo, reducir su temor y ansiedad.

Espero que vaya más allá y utilice estas preguntas como base para una minuciosa autoexploración. Deberá estar preparado para pensar por usted mismo y con los pies en la tierra, no sólo dejándose guiar por la intuición.

A pesar de ser competitivo, el proceso de entrevistas no es una competencia. En lugar de creer que es un atleta que intenta descalificar a los demás candidatos, considere que la entrevista es su oportunidad para ser un artista, para pintar un retrato de la persona que usted es, el tipo de candidato que a cualquier empresa le agrada, respeta y desea contratar.

Los capítulos 1 y 2 ofrecen un análisis detallado del trabajo que usted deberá realizar y de los aspectos que necesitará pensar desde mucho tiempo antes de acudir a su primera entrevista. Una entrevista no consiste en 90 por ciento de preparación, pero sí de 50 por ciento.

Los capítulos 3 al 10 constituyen la sustancia del libro; es decir, las preguntas para las cuales usted deberá prepararse y las respuestas que la mayoría de los entrevistadores desean escuchar. (No he contado las preguntas que incluí en esta obra, ni las principales, ni sus variaciones, pero son muchas más de las 101 que promete el título.) A cada pregunta sigue una serie de tres señales:

¿QUÉ QUIEREN ESCUCHAR?

(¿Cuál es la información que el entrevistador busca?)

 LUZ VERDE
(¿Cuál es una
buena respuesta?)

 LUZ ROJA
(¿Cuál es una
mala respuesta?

He elaborado una lista de preguntas de seguimiento que usted deberá esperar o variaciones de muchas otras preguntas que el entrevistador podría emplear.

Las preguntas de este libro están agrupadas por tipo, pero no corresponden a ningún orden sugerido. Muchas de ellas del capítulo 8 o del 10, por ejemplo, ¡bien podrían ser algunas de las primeras en cualquier entrevista! De manera que le sugiero leer todo el libro y prepararse para todas las preguntas en cualquier orden.

A pesar del énfasis en "grandes preguntas", no recomiendo la memorización. Expresar una respuesta aprendida y literal no es el propósito de un proceso de entrevista... ni de este libro. En realidad es más importante concentrarse en la sección "¿Qué quieren escuchar?" después de cada pregunta, comprender por qué se hace una pregunta en particular y lo que usted necesita hacer para precisar una respuesta ganadora.

La "luz roja" después de muchas de las preguntas indica respuestas que podrían causarle vergüenza ajena al entrevistador promedio y que aquel que esté muy ocupado sólo le sugiera buscar otra empresa.

Sin embargo, después de casi todas las preguntas en este libro incluí la misma lista de luces rojas generales, esos factores que deben evitarse en toda entrevista o en la respuesta a cualquier pregunta. Sin la intención de romper con el orden de este libro, discutamos todos estos puntos negativos ahora mismo.

 ## ¡OH!, ¿OLVIDÉ LLAMAR?

Para muchos entrevistadores, el hecho de que usted llegue tarde es una causa inmediata para cancelar la entrevista. No importa si lo retrasó un embotellamiento, si su gato vomitó una bola de pelo o si sólo se extravió en el elevador.

Llegar a tiempo no significa llegar corriendo por el pasillo justo a tiempo. Como Tom Coughlin, entrenador del equipo de futbol americano de los Gigantes de Nueva York, afirma: "Llegar tarde es no llegar quince minutos antes de la cita".

 ## ¡QUÉ BONITO PEINADO... ADEMÁS, ME ENCANTA SU BRILLO LABIAL!

El arreglo personal pobre es un desmotivador básico. El exceso de perfume o colonia que irrite la garganta del entrevistador y lo obligue a acercarse a la ventana es un mal comienzo. También lo es el hecho de utilizar más maquillaje que una modelo de pasarela, tintinear con una bolsa llena de monedas o un antebrazo saturado de pulseras y brazaletes, o hacer su mejor imitación de Richard Nixon cuando se presentó al famoso debate presidencial: sudando, cansado, sin maquillaje, desaliñado, con un traje viejo y arrugado...

Quizás usted tenga la experiencia y las habilidades pertinentes... ¡rayos! Tal vez usted sea perfecto para el puesto, pero nunca tendrá oportunidad de presumir sus cualidades si su arreglo personal provoca una primera impresión deficiente.

¡OH!, ¿ESA CORBATA BRILLA EN LA OSCURIDAD?

¿En verdad tengo que decirles, damas, que un traje oscuro, perlas y mocasines es una vestimenta apropiada para cualquier entrevista? Dadas las blusas ajustadas, el calzado deportivo, las faldas cortas y las medias caladas que he visto atravesar mi puerta (¡todo ello en una sola candidata!), quizá deba hacerlo.

Para los hombres: camisa blanca o azul claro, traje conservador, corbata de seda, zapatos de vestir lustrados.

Para nadie: corbatas que brillen en la oscuridad, camisetas que anuncien lo que sea (¡en especial aquellas con contenido censurado!) o cualquier tipo de prenda que se considere "relajada y cómoda", a menos que se sienta cómodo con un saco cruzado.

¿COSECHA USTED TABACO?

En caso de que no le haya llegado el mensaje (¿dónde ha estado?), fumar ya no es un comportamiento aceptable... en ninguna parte, en ningún momento. Y no se engañe; sólo porque usted no haya encendido un cigarro durante una entrevista, no significa que nadie en la sala sepa que fuma. ¡Usted apesta, amigo!

Si fuma, deje de hacerlo. No sólo la mañana de la entrevista. Deje de fumar. Existen muchas empresas que no querrán contratarlo debido a los riesgos de salud que usted representa o quizá sólo porque no quieren que usted salga cada hora en busca de una esquina atractiva junto a la puerta principal.

Desde luego, si usted decide fumar durante la entrevista (mucha gente lo ha hecho en mi oficina), mejor salga por esa puerta principal de una vez.

No fume ni siquiera si el entrevistador enciende un cigarro y lo invita a hacer lo mismo.

TRAJO A SU GATO... ¡QUÉ LINDO!

Debería existir una nueva serie de televisión de la vida real con las conductas extrañas de algunos entrevistados que mastican, eructan, se rascan, maldicen, lloran, ríen y gritan, para estremecimiento de nuestro corazón. Han llegado candidatos borrachos o drogados, acompañados de su respectiva madre, se han dormido e incluso han ido al baño para nunca volver.

Mantener su teléfono encendido durante una entrevista se considera una conducta inapropiada. De hecho, recibir o hacer llamadas es un verdadero desatino.

Recuerde que el entrevistador piensa: "¿Es éste su mejor comportamiento? ¿Qué puedo (¡gulp!) esperar?".

ELLOS NO NECESITAN UN DETECTOR DE MENTIRAS

Si usted miente acerca de cualquier cosa, en especial dónde y cuándo trabajó, qué hizo, dónde y cuándo estudió la universidad e incluso si la cursó, lo atraparán. Sin importar cuán bajo sea el puesto, existen gastos significativos asociados con la contratación de una persona que desempeñe dicho puesto, de manera que las empresas se tomarán el tiempo necesario para revisar las referencias. Y mientras más alto sea el eslabón en la cadena alimenticia, más intensivo será el escrutinio.

Incluso si la mentira es insignificante, el hecho de que usted mienta, en casi todas las instancias, será motivo suficiente para prescindir de usted. La falta de experiencia o de una habilidad particular puede no excluirlo en forma automática de obtener el empleo. Mentir sí.

NO NECESITA SER TAN HONESTO

Aunque la honestidad pueda ser la mejor (y quizá la única) política, no es necesario compartir todo con su entrevistador. Él no es un sacerdote y usted no está en un confesionario. No necesita platicar todo lo que usted hace en la privacidad de su hogar. Cuando le pregunten qué es lo que le interesa de ese empleo, sea lo bastante inteligente como para no responder: "Caray, sólo necesito un empleo con beneficios. Debo mucho dinero en mi tarjeta de crédito".

"¿MI ÚLTIMO EMPLEO? ¡LO ABORRECÍ!"

Usted debe esforzarse porque cada minuto de su entrevista sea una experiencia positiva. De hecho, casi puedo garantizarle que la negatividad de cualquier tipo disminuirá sus probabilidades de obtener el empleo, razón por la cual el entrevistador podría introducir algo de negatividad sólo para ver cómo la maneja usted. Así que las quejas sobre sus empleos anteriores, jefes, responsabilidades o incluso sobre su experiencia en el ascensor, deberá evitarlas a toda costa.

¡HEY, MIRE ACÁ POR FAVOR!

Para muchos entrevistadores, si usted elude su mirada significa que oculta algo, lo mismo si se mueve demasiado o se muestra nervioso. Salude con un firme apretón de manos, vea de frente, siéntese derecho y, desde luego, mire a su interlocutor a los ojos. Romper el contacto visual de tanto en tanto es buena idea. Observar a alguien durante varios segundos hará que éste se ponga nervioso.

De igual manera, los entrevistadores buscan personas que se entusiasmen con lo que hacen, así que suspirar, mirar por la ventana o atisbar el reloj durante una pregunta no es la mejor manera de crear una buena impresión. Si usted no parece interesado en el empleo, ¿por qué se interesarían en contratarlo?

No subestime el efecto del lenguaje corporal en el entrevistador. Aunque muchas personas no quisieron decir lo que dijeron o no dicen lo que quieren decir, sus acciones no verbales revelan justo lo que sienten. Según algunos estudios, más de la mitad de lo que intentamos comunicar se transmite de manera no verbal.

Usted necesita comprender no sólo lo que su lenguaje corporal comunica al entrevistador sino también lo que puede aprender de la comunicación no verbal de éste. Si él cruza los brazos o se reclina en su asiento, usted ya perdió su atención. Pero si se inclina hacia el frente, asiente mientras usted habla y gesticula al hablar, usted tiene todavía su interés. Frotarse los ojos podría significar que... simplemente no pasó una buena noche.

USTED PUEDE TENER DEMASIADA CONFIANZA

En cierta ocasión, un candidato me dijo, apenas cinco minutos después de iniciada nuestra entrevista: "Tengo tres ofertas más en este momento. ¿Qué me ofrece usted?".

Simplemente le mostré la puerta.

Sí, usted necesita tener confianza, entusiasmo y júbilo (y valor y limpieza y respeto), pero también puede ser, como ilustra este claro ejemplo, demasiado bueno para ser verdad.

"¡OH!, ¿POR QUÉ QUIERE SABERLO?"

Ante una pregunta simple, usted actúa como si lo hubieran acusado de un crimen: comienza a sudar, duda, tartamudea e intenta cambiar de tema.

¿Qué trata de ocultar? Eso es lo que pensará su interlocutor. Y si no intenta ocultar algo, ¿por qué actúa a la defensiva?

 "¿A QUÉ SE DEDICA ESTA EMPRESA?"

Una parte fundamental del proceso de la entrevista es la preparación; es decir, investigar sobre la empresa, industria y posición; planear preguntas pertinentes; estar listo para intervenir durante la conversación con sus conocimientos. La carencia de lo anterior no impresionará a la mayoría de los entrevistadores. He entrevistado candidatos que me han preguntado a qué se dedica mi empresa.

No los contraté.

"SEGURO ROBERTO, PUEDES PEDIR LANGOSTA"

(PERO NO ESPERES OBTENER EL EMPLEO)

Las entrevistas durante el almuerzo son situaciones llenas de peligros potenciales. Sorber el espagueti o limpiar salsa *catsup* de su corbata no es atractivo, aunque usted lo sea. Ordenar el platillo más caro o el más barato del menú envía un mensaje no deseable. ¿Y qué sucede si ese platillo francés, que usted no entendió pero ordenó de todos modos, resulta ser sesos salteados?

Si usted no puede evitar una entrevista durante el almuerzo (yo lo intentaría), utilice su sentido común. Ordene algo ligero y de precio razonable. Usted no está allí por la comida, ¿cierto? Recuerde lo que mamá le dijo: los codos fuera de la mesa, no hable con la boca llena y coloque la servilleta sobre su regazo. No beba alcohol (ni vino), no fume (ni siquiera si su entrevistador lo hace), no se queje de la comida (aunque sea horrible) ¡y no olvide que esto es una entrevista!

"Y DESPUÉS TRABAJÉ EN... ¡UPSSS!"

A lo largo de este libro intentaré darle la habilidad de expresar respuestas que comuniquen lo que en realidad se desea saber. Mientras más apegada sea su respuesta a las necesidades del entrevistador, expresadas o no, mejor. Dado que las mejores respuestas se articulan según las necesidades de la empresa y la capacidad del aspirante al puesto, con frecuencia resulta difícil, si no imposible, decir que una respuesta en particular es correcta o incorrecta. Pero sí hay respuestas que son erróneas, sin duda alguna, por ejemplo:

- Cualquiera, sin importar lo estructurada y específica que sea, que no responda a la pregunta formulada.

- La que revele que usted no está calificado para el empleo.

- También la que revele información que no coincida con su currículum o con su carta de presentación. No se ría. Yo, por ejemplo, he dado orgullosos detalles de un empleo que no incluí en mi currículum vitae. Al entrevistador tampoco le hizo gracia.

- Cualquiera que revele incapacidad para afrontar responsabilidades por errores, debilidades, malos resultados o que intente otorgarle a usted todo el crédito sobre un proyecto en el cual resulte claro que intervinieron otras personas.

A pesar de que muchos entrevistadores no consideran que la vestimenta inapropiada, el arreglo personal deficiente o el exceso de honestidad sean motivos para el rechazo en forma automática, la acumulación de dos o más de estas características podría obligar al más empático a cuestionarse su viabilidad. Por supuesto, algunos detalles, como la deshonestidad, podrían conducir a un inmediato y sentido: "Gracias... hasta luego".

POR FAVOR, UTILICE UN LÁPIZ DEL NÚMERO 2

Cada vez más empleadores someten a los candidatos a pruebas de personalidad, incluso antes de tener la oportunidad de conocer a un entrevistador en persona. De acuerdo con la autora y conferencista Jane Boucher, más de 65 por ciento de las empresas de *Fortune 500* utilizan algún tipo de evaluación tanto para trabajadores como para directivos, apenas 5 por ciento menos que la década pasada.

Sé por experiencia que usted no puede "engañar en esas pruebas". Si intenta elegir la respuesta "obvia" que muestra sus habilidades de liderazgo, no tendrá éxito. Dado que usted no podrá prepararse para ninguna de esas pruebas, relájese e intente responder a las preguntas con honestidad. En general, dichas pruebas sólo pretenden identificar los puestos más adecuados a su personalidad. En la mayoría de las empresas son sólo un componente del proceso de entrevista.

HAGA UNA PAUSA PARA FELICITARSE

A pesar de mi reputación estelar en las oficinas de colocación, la primera edición de esta obra se convirtió en *best seller*. De hecho, se sigue vendiendo. No pretendo averiguar por qué le ha ido tan bien pero aventuraré una hipótesis: es simple, directa, práctica y su estilo es amigable y humorístico. También queda claro que ha ayudado a cientos de miles de candidatos a prepararse para cualquier tipo de entrevista y de entrevistador. ¡Estoy contento y orgulloso de que esta nueva edición y formato ayude a muchos más como usted!

En lugar de invertir más tiempo en decirle lo que aprenderá, es mejor que comencemos. Buena suerte.

–Ron Fry

Posdata: Casi olvido mencionar el uso del género a lo largo de este libro. En vez de ser parcial en cuanto al género, elegí establecer la diferencia y mezclar el uso de "él" y "ella" donde no resulte muy confuso.

El producto es usted

El objetivo de este capítulo es prepararlo para responder con comodidad una y sólo una pregunta: "¿Quién es usted?". El éxito o fracaso de muchas entrevistas radica en su habilidad para responder esta pregunta aparentemente sencilla. El proceso de entrevista es un tipo de venta. En este caso usted es, al mismo tiempo, el producto y el vendedor. Si no se presenta preparado para hablar acerca de sus características y beneficios únicos, no es probable que convenza al entrevistador a "comprarlo".

Lo triste es que muchos candidatos a empleos no están preparados para hablar acerca de sí mismos. Quizás envió un currículum magnífico con una grandiosa carta de presentación. Tal vez porte la vestimenta perfecta el día de la entrevista pero, si no puede convencer a su entrevistador, cara a cara, de que usted es la persona idónea para el empleo, no es probable que logre la venta.

Muchos candidatos dudan ante la primera pregunta abierta y después tropiezan y balbucean a lo largo de una desarticulada letanía de monosílabos referentes a su experiencia laboral. Otros entrevistados recitan respuestas aprendidas que sólo resaltan su buena memoria.

Asumo que, como la mayoría de las personas, usted es un producto complejo constituido por una mezcla única de habilidades, destrezas y cualidades personales, formado por su historia personal y profesional. Créame, el tiempo que usted invierta en describir los detalles de su propia vida le redituará en las entrevistas y, en última instancia, en ofertas de empleo. Este capítulo lo guiará a través del proceso.

LO QUE DEBE SABER ACERCA DE USTED MISMO

El primer paso es imitar al FBI y elaborar un documento informativo completo acerca de usted mismo. Las hojas de datos que se muestran al final de este capítulo le ayudarán a organizar su información más importante. Con esta información en orden le será más fácil expresar una respuesta concisa y convincente a casi cualquier pregunta de entrevista, lo cual le permitirá destacar entre sus competidores.

HOJA DE DATOS POR EMPLEO

Prepare una hoja por separado por cada empleo de tiempo completo y de tiempo parcial que usted haya desempeñado, sin importar cuán breve haya sido el periodo de contratación. Sí, incluso los empleos de periodos vacacionales son importantes porque demuestran que tiene recursos, responsabilidad e iniciativa, que usted ya fomentaba un sentido de independencia mientras vivía con sus padres. Más tarde decidirá si incluye todos, algunos o ninguno de estos empleos temporales en su currículum, o si prefiere hablar de ellos durante su entrevista.

Por ahora, escriba todo acerca de cada uno de sus empleos. Para cada empleador, incluya:

- Nombre, dirección, número telefónico y dirección de correo electrónico.

- Los nombres de todos sus supervisores y, cuando sea posible, dónde se les puede localizar.

- Cartas de recomendación (en especial si los supervisores son difíciles de localizar).

- Las fechas exactas de cuando usted fue contratado (mes y año).

Para cada empleo, incluya:

- Tareas y responsabilidades específicas.

- Experiencia en supervisión; haga énfasis en el número de personas a su cargo.

- Habilidades específicas requeridas para el trabajo.

- Logros principales.

- Fechas en las cuales fue promovido.

- Premios, honores o reconocimientos especiales que recibió.

No necesita escribir un libro para cada empleo pero concéntrese en proporcionar datos específicos (volumen de trabajo, problemas resueltos, dinero ahorrado) para "pintar un retrato" detallado de sus habilidades y logros. Créame, estos datos objetivos serán un golpe poderoso de su presentación en entrevista.

Tareas: Escriba una o dos frases que describan el panorama general de las tareas que realizó en cada uno de los empleos desempeñados. Utilice números con tanta frecuencia como le sea posible para demostrar el rango de sus responsabilidades. Un experimentado vendedor podría escribir:

- Responsable de administrar 120 cuentas activas en el área de ventas que aportaron 30 millones de utilidades anuales.

- Supervisor de tres vendedores telefónicos.

Habilidades: Nombre las habilidades específicas requeridas para desempeñar sus tareas y resalte aquellas que usted desarrolló en el trabajo. El mismo vendedor podría escribir:

- Capacité a otros vendedores en las nuevas líneas de producto.

- Asistencia telefónica para una cartera de 100 clientes.

Logros clave: Ésta es la oportunidad de "pavonearse" pero asegúrese de respaldar cada logro con datos específicos, incluso resultados. Por ejemplo:

- Desarrollé un nuevo sistema de reportes de llamadas que incrementó el volumen del territorio 20 por ciento en 18 meses.

- Supervisé la automatización del departamento, lo cual representó 15 por ciento de ahorro en costos.

HOJA DE DATOS DE TRABAJO VOLUNTARIO

Después de haber contratado a cientos de personas a lo largo de mi carrera, puedo asegurarle que sus actividades independientes al trabajo serán consideradas y ponderadas por muchos entrevistadores. Los adictos al trabajo rara vez son los mejores empleados.

Así que disponga de algún tiempo para elaborar un registro detallado de sus actividades de voluntariado, similar al que elaboró para cada empleo que desempeñó. Para cada organización voluntaria incluya:

- Nombre, dirección, número telefónico y dirección de correo electrónico.

- Nombre de su supervisor o del gerente de la organización.

- Cartas de recomendación.

- Fechas exactas (mes y año) de su participación en la organización.

Para cada experiencia de voluntariado, incluya:

- Número aproximado de horas dedicadas cada mes a la actividad.

- Tareas y responsabilidades específicas.

- Habilidades requeridas.

- Logros principales.

- Premios, honores o reconocimientos especiales que haya recibido.

HOJA DE DATOS ACADÉMICOS

Si usted acaba de graduarse de la universidad o aún la cursa, no necesita mencionar sus experiencias en el bachillerato. Sin embargo, si tiene algún grado universitario o especialidad, deberá listar su historial universitario. Si aún estudia y le falta más de un año para graduarse, indique el número de créditos o materias que ha aprobado hasta el último semestre completo.

HOJA DE DATOS DE ACTIVIDADES

Siempre me interesan y me impresionan los candidatos que me hablan acerca de libros que han leído y de actividades que disfrutan. Así que elabore una lista de todos los deportes, clubes y otras actividades en las cuales haya participado, dentro o fuera de la escuela. Para cada actividad, club o grupo, incluya:

- Nombre y propósito.
- Cargos desempeñados, comités especiales que haya organizado, liderado o formado parte.
- Tareas y responsabilidades de cada puesto.
- Logros principales.
- Premios u honores que haya recibido.

HOJA DE DATOS DE PREMIOS Y RECONOCIMIENTOS ACADÉMICOS

Elabore una lista de todos los premios y reconocimientos que haya recibido en la escuela, grupos comunitarios, religiosos, etcétera. Puede incluir premios de instituciones académicas prestigiadas, tanto de bachillerato como de universidad, incluso si ya cursa una especialidad o hace tiempo que se graduó.

HOJA DE DATOS DE IDIOMAS

Incluso si no solicita un empleo en el ámbito internacional, su habilidad para leer, escribir o hablar idiomas puede hacerlo invaluable para los empleadores en un número creciente de instituciones educativas y de investigación, además de empresas multinacionales. Si tomó un curso de ruso de doce meses no será gran diferencia, pero no olvide anotar si estudió en Moscú durante un año y puede conversar como nativo.

DESDE SU PERSPECTIVA

Una vez que haya terminado de llenar los formatos, habrá listado una serie de datos acerca de lo que ha realizado y dónde y con quién lo ha hecho. Pero cualquier entrevistador que se precie de serlo buscará más, así que, una vez que termine con la recopilación de datos, practique ponerlos en perspectiva; es decir, su única y personal perspectiva. Escriba sus respuestas a las siguientes preguntas, que deberá esperar que su interlocutor le formule:

- ¿Cuáles logros ha disfrutado más? ¿De cuáles se siente orgulloso? Prepárese para decirle al entrevistador cómo se relacionan dichos logros con el puesto disponible.

- ¿Qué errores ha cometido? ¿Por qué ocurrieron? ¿Qué aprendió de ellos? ¿Qué ha hecho usted para impedir que ocurran sucesos similares?

- ¿Cómo se relaciona usted con figuras de autoridad, como jefes, maestros o padres? Prepárese para mencionar ejemplos específicos.

- ¿Cuáles son sus juegos y deportes favoritos? ¿Es usted muy competitivo? ¿Se da por vencido con mucha facilidad? ¿Es usted un buen perdedor o un mal ganador? ¿Afronta los retos o retrocede?

- ¿Qué tipo de personas son sus amigos? ¿Sólo se asocia con personas muy similares a usted? ¿Disfruta de las diferencias en otros individuos o sólo las tolera? ¿Qué tipo de situaciones han generado la ruptura de una amistad? ¿Qué dice eso sobre usted?

- Si usted pidiera a un grupo de amigos o conocidos que lo describieran, ¿cuáles adjetivos cree que utilizarían? Elabore una lista de todos ellos, los buenos y los malos. ¿Por qué la gente lo describiría de esa manera? ¿Hay conductas, habilidades, logros o fallas específicas que parecen identificarlo a los ojos de los demás? ¿Cuáles son?

¿CUÁL ES EL OBJETIVO DE TODO ESTO?

Mientras mejor se conozca a usted mismo, mejor podrá venderse a un empleador potencial cuando se esté entrevistando. Con base en sus hojas de datos, tenga una lista de sus mejores características bajo los siguientes encabezados:

- Mis habilidades más fuertes.

- Mis mayores áreas de conocimiento.

- Mis mayores fortalezas de personalidad.

- Las cosas que hago mejor.

- Mis logros principales.

Después puede transformar sus mejores características en beneficios para la empresa en la cual posiblemente labore:

● ¿Qué parte de mi inventario personal convencerá a este empleador de que merezco el puesto?

● ¿Cuáles son las fortalezas, logros, habilidades y áreas de conocimiento que me hacen ser el más calificado para este puesto? ¿Qué parte de mis antecedentes me separaría del resto de los candidatos?

Al responder algunas preguntas difíciles acerca de los errores cometidos y de la retroalimentación no muy positiva que ha recibido, usted también puede localizar áreas que requieran mejorías. ¿Necesita desarrollar nuevas habilidades o mejorar sus relaciones con la autoridad? Si ha sido meticuloso y muy honesto (¡lo cual puede hacer que se sienta terriblemente!), podrá descubrir aspectos de usted mismo que nunca había conocido.

Mientras más tiempo y esfuerzo invierta en responder preguntas como éstas, siempre y cuando conserve la cabeza fría, menos sudará cuando se encuentre en el banquillo de los acusados. Depende de usted.

Pero antes de conocer las primeras preguntas que es probable que enfrente, veamos más de cerca el proceso de entrevista en sí mismo.

Hoja de datos de formación profesional

Nombre de la escuela: _____
_____

Dirección: _____
_____
_____

Teléfono: _____

Años en que asistió: De _____ a _____

Grado obtenido: _____
_____

Licenciatura/Especialidad: _____
_____
_____

Promedio/Lugar obtenido en el grupo: _____

Reconocimientos obtenidos: _____
_____
_____
_____
_____
_____

Cursos impotantes: _____
_____
_____
_____
_____

Hoja de datos de actividades extracurriculares

Club/Actividad: _____

_____

Oficina(s) donde o para la(s)cual(es) se llevó a cabo la
actividad: _____

_____

Descripción de la participación: _____

_____

_____

Deberes/Responsabilidades: _____

_____

_____

Club/Actividad: _____

_____

Oficina(s) donde o para la(s)cual(es) se llevó a cabo la
actividad: _____

_____

Descripción de la participación: _____

_____

_____

Deberes/Responsabilidades: _____

_____

_____

Hoja de datos de educación media

Nombe de la escuela: _____

_____

Dirección: _____

_____

Teléfono: _____

_____

_____

Deberes/Responsabilidades: _____

_____

_____

Club/Actividad: _____

_____

Oficina(s) donde o para la(s)cual(es) se llevó a cabo la
actividad: _____

_____

Descripción de la participación: _____

_____

_____

Deberes/Responsabilidades: _____

_____

_____

Hoja de datos de otros estudios/escuelas

Nombre de la escuela: _____

_____

Dirección: _____

_____

Teléfono: _____

_____

_____

Deberes/Responsabilidades: _____

_____

_____

Club/Actividad: _____

_____

Oficina(s) donde o para la(s)cual(es) se llevó a cabo la
actividad: _____

_____

Descripción de la participación: _____

_____

_____

Deberes/Responsabilidades: _____

_____

_____

Hoja de datos de educación superior

Nombre de la escuela: _____

_____

Dirección: _____

_____

Teléfono: _____

_____

_____

Deberes/Responsabilidades: _____

_____

_____

Club/Actividad: _____

_____

Oficina(s) donde o para la(s)cual(es) se llevó a cabo la
actividad: _____

_____

Descripción de la participación: _____

_____

_____

Deberes/Responsabilidades: _____

_____

_____

Hoja de datos de estudios de posgrado

Nombre de la escuela: _____

_____

Dirección: _____

_____

Teléfono: _____

_____

_____

Deberes/Responsabilidades: _____

_____

_____

Club/Actividad: _____

_____

Oficina(s) donde o para la(s)cual(es) se llevó a cabo la

actividad: _____

_____

Descripción de la participación: _____

_____

_____

Deberes/Responsabilidades: _____

_____

_____

Hoja de datos de actividades

Club/Actividad: _____

_____

Oficina(s) donde o para la(s)cual(es) se llevó a cabo la actividad: _____

_____

Descripción de la participación: _____

_____

_____

Deberes/Responsabilidades: _____

_____

_____

Club/Actividad: _____

_____

Oficina(s) donde o para la(s)cual(es) se llevó a cabo la actividad: _____

_____

Descripción de la participación: _____

_____

_____

Deberes/Responsabilidades: _____

_____

_____

Hoja de datos de premios y reconocimientos

Club/Actividad: _____

_____

Oficina(s) donde o para la(s)cual(es) se llevó a cabo la
actividad: _____

_____

Descripción de la participación: _____

_____

_____

Deberes/Responsabilidades: _____

_____

_____

Club/Actividad: _____

_____

Oficina(s) donde o para la(s)cual(es) se llevó a cabo la
actividad: _____

_____

Descripción de la participación: _____

_____

_____

Deberes/Responsabilidades: _____

_____

_____

Hoja de datos del servicio militar

Nombre de la Institución: _____

_____

Dirección: _____

_____

Teléfono: _____

_____

_____

Deberes/Responsabilidades: _____

_____

_____

Club/Actividad: _____

_____

Oficina(s) donde o para la(s)cual(es) se llevó a cabo la
actividad: _____

_____

Descripción de la participación: _____

_____

_____

Deberes/Responsabilidades: _____

_____

_____

Hoja de datos de idiomas

Nombre de la Institución _____

_____

Oficina(s) donde o para la(s)cual(es) se llevó a cabo la
actividad: _____

_____

Descripción de la participación: _____

_____

_____

Deberes/Responsabilidades: _____

_____

_____

Nombre de la Institución: _____

_____

Oficina(s) donde o para la(s)cual(es) se llevó a cabo la
actividad: _____

_____

Descripción de la participación: _____

_____

_____

Deberes/Responsabilidades: _____

_____

_____

El mercado laboral sigue siendo una jungla

Los días de llenar una solicitud de empleo y conversar en una o dos entrevistas han pasado a la historia. En nuestros días, entrevistadores y gerentes contratantes cuidan absolutamente todos los detalles sin dejar nada a la casualidad.

Como ya mencioné, es probable que deba acudir a más entrevistas que sus predecesores por el mismo empleo, sin importar su nivel de experiencia. El conocimiento y la experiencia aún le dan alguna ventaja, pero en la actualidad también necesita vigor. Su honestidad, inteligencia y salud mental pueden ser medidas antes de que usted pueda considerarse bien evaluado. Incluso tendrá que caminar de puntitas a través de un campo minado durante diferentes situaciones en las entrevistas.

No es necesario que se suscriba a una publicación de expertos en temas de recursos humanos; sólo haga lo que pueda por permanecer confiable, flexible y preparado con sus respuestas. Sin importar el tipo de entrevista en el cual se encuentre, este instructivo lo guiará con gran éxito.

Demos un paseo sin consecuencias por el ciclo de las entrevistas.

 ## ¿CONTRA QUÉ O QUIÉN SE ENFRENTA USTED?

Generalmente existen tres tipos de entrevistas: la entrevista telefónica, la entrevista presencial y la entrevista con el jefe inmediato. Veamos cada una de ellas y cómo debe enfrentarlas.

LA ENTREVISTA TELEFÓNICA

La entrevista telefónica es una efectiva táctica utilizada por muchos entrevistadores. Sin embargo, la gente que utiliza esta técnica confía en esta estrategia como medio inicial para explorar posibles candidatos a un empleo. Para muchos de estos entrevistadores, la entrevista en persona es poco más que una oportunidad para confirmar lo que sienten que han descubierto por teléfono.

Los típicos representantes de esta categoría son empresarios, gerentes y ejecutivos de alto nivel, entre otros, con poco tiempo y amplia visión. Su filosofía fundamental podría resumirse en: "Tengo un problema de personal por resolver y no pienso desperdiciar mi valioso tiempo en hablar con una persona que no sea la mejor".

Con frecuencia, la entrevista telefónica es fundamental en empresas de pequeñas a medianas, donde no existe un departamento formal de Recursos Humanos o de Personal o en las que dicho departamento se acaba de crear. *El objetivo principal de esta técnica es identificar razones para eliminar al candidato antes de programar una entrevista en persona.*

Entre las razones comunes para una eliminación repentina de la lista de la entrevista telefónica se encuentran: evidencia de una disparidad entre su currículum y su experiencia real, escasas habilidades de comunicación verbal o carencia de las habilidades técnicas requeridas.

Si usted espera una llamada para que le realicen una entrevista telefónica, asegúrese de que los miembros de su familia sepan cómo responder el teléfono. Consejo: un adormilado "¿Eh?" de su hijo adolescente no es la mejor estrategia. Por todos los medios evite el simpático mensaje de su máquina contestadora: "¡Hola! (risas, risas) ¡Estamos arriba y nos estamos divirtiendo mucho! (risas, gruñidos), así que deja un mensaje, amigo".

Las conversaciones con los entrevistadores que utilizan las entrevistas telefónicas suelen ser muy abruptas. Estas personas suelen tener demasiado quehacer.

Pero, qué podría ser mejor que responder desde la comodidad de su casa, ¿cierto? ¡Error! Para empezar, usted pierde al menos dos valiosas herramientas con las cuales debe trabajar durante las entrevistas en persona: el contacto visual y el lenguaje corporal. Sólo cuenta con sus habilidades, su currículum y su facilidad para comunicarse de manera verbal.

No se desaliente. Siempre proyecte una imagen positiva a través de su voz y sus respuestas. No exagere pero tampoco permita que el teléfono lo anule. Si su confianza decae, intente sonreír mientras escucha y habla. Cierto, puede parecer ridículo pero funciona en mi caso. También me gusta ponerme de pie y caminar alrededor durante una entrevista telefónica. Eso parece calmarme y darme más energía al mismo tiempo.

Usted tiene derecho de prepararse para cualquier entrevista. Es probable que el entrevistador le llame para acordar una hora para la entrevista telefónica. Sin embargo, si él desea abocarse a ello en cuanto usted responde el teléfono, no hay nada de malo en pedirle que vuelva a llamarlo a una hora que ambos convengan. Usted necesita organizar su entorno para una entrevista exitosa.

Es recomendable que tenga una copia de su currículum junto al teléfono, que usted ya revisó, la carta de presentación que envió a esa empresa, una lista de preguntas que preparó para ellos, una libreta, la información que investigó sobre la empresa y un vaso con agua. También es recomendable que haya respondido al llamado de la naturaleza, dado que es seguro que no querrá excusarse durante la entrevista. Otra buena idea es colocar un letrero de "No molestar" en la puerta para que los miembros de su familia no lo interrumpan. Sobra decir que usted no querrá poner en tono de espera a su entrevistador por ningún motivo.

EL FILTRO DE RECURSOS HUMANOS

Muchos profesionales de Recursos Humanos o de Personal corresponden a esta categoría. Para estas personas, la entrevista no es sólo un evento trimestral o mensual sino un elemento clave en la descripción diaria de sus funciones. Conocen y entrevistan a muchos individuos y tienden, más que las otras dos categorías, a considerar como excepcional a un candidato para más de un posible puesto dentro de la organización.

Un objetivo primordial de Recursos Humanos es desarrollar un fuerte grupo de candidatos para que los gerentes los entrevisten. Desde luego, para hacerlo deben eliminar a muchos solicitantes, tarea nada sencilla dado que con frecuencia el departamento en el cual trabajan es el único contacto proporcionado en los avisos de empleo.

Entre las razones más comunes para eliminar nombres de la "lista de los mejores candidatos" se encuentran: carencia de capacidades formales e informales especificadas en la descripción del puesto proporcionada por la empresa, cambios repentinos en prioridades de contratación y requerimientos de personal, desempeño deficiente durante la entrevista en persona y falta de acción debida a la incertidumbre de Recursos Humanos acerca de su situación actual o información de contacto. La última razón es más común de lo que usted imagina. Recursos Humanos se ahoga entre llamadas telefónicas, currículos y visitas no anunciadas de candidatos buscando oportunidades. A pesar de sus mejores esfuerzos, con frecuencia pierden el rastro de personas calificadas.

Recursos Humanos es excelente para separar el trigo del forraje. Debido a que está expuesto a una constante y amplia variedad de candidatos, por lo regular presume de más experiencia en entrevistas presenciales que los miembros de los otros dos grupos. Es más probable que detecte inconsistencias o mentiras flagrantes en el currículum porque ha visto tantas con el paso de los años que saben cuando las referencias de un candidato para un puesto determinado no aprueban el "examen de olfato".

Mientras las entrevistas telefónicas o con gerentes pueden ser apresuradas debido a horarios exigentes, Recursos Humanos por lo general está en una posición que les permite invertir más tiempo en candidatos calificados.

Sin embargo, con frecuencia estos entrevistadores no tienen información directa de los requerimientos cotidianos del puesto a ocuparse. Ellos cuentan con resúmenes descriptivos formales, desde luego, pero por lo regular no están familiarizados con las habilidades, el temperamento y la perspectiva necesarios para el éxito en el trabajo. A un paso de distancia de la acción, Recursos Humanos depende de los avisos de vacantes y de los resúmenes de experiencia, que por lo común son elaborados por los gerentes.

Si esos documentos formales no están bien escritos y si Recursos Humanos no recibe información directa de los supervisores acerca del tipo de personas que busca, quizás usted avance en el proceso a pesar de no ser particularmente calificado, o puede ser eliminado a pesar de serlo.

No es de sorprender que Recursos Humanos reaccione con miradas de extrañeza cuando otras personas les soliciten describir su reacción hacia los méritos de un candidato en particular. Ya que por lo general trabajan en áreas ajenas a la vacante misma, este departamento con frecuencia prefiere cuantificar sus evaluaciones de candidatos en números y datos objetivos: o el candidato tiene tres años de hacer tal o cual cosa o no los tiene. O está capacitado en diseño por computadora o no. Desde luego, este análisis puede pasar por alto muchos detalles interpersonales importantes.

EL DIRECTOR

Esta categoría describe a supervisores que deciden realizar entrevistas personales o que están obligados a hacer un espacio en sus apretadas agendas para ello. Por lo regular, entrevistan candidatos que ellos mismos supervisarán. Con frecuencia, las entrevistas son el resultado de referencias de Recursos Humanos o de colegas y contactos personales.

El objetivo principal del gerente es evaluar de primera mano las habilidades y la química personal del candidato. Estos entrevistadores desean saber todo lo que puedan acerca de la gente con la cual trabajarán cercanamente. Por el contrario, la entrevista telefónica bien podría hacerla un empresario que delega mucho y sus interacciones con los nuevos empleados son sólo intermitentes.

Entre las razones comunes para ser eliminado de la "lista de los mejores candidatos" del gerente están: la falta de química personal o empatía con éste, el desempeño deficiente durante la entrevista y la evaluación del gerente de que usted, a pesar de estar calificado y ser agradable, no podrá adaptarse bien al equipo.

Con frecuencia, estas personas tienen experiencia de supervisión en el área donde surgió la vacante. Un gerente que ha trabajado con numerosos empleados en el mismo puesto aporta una perspectiva única al procedimiento.

De las tres categorías, éste es el grupo con más probabilidades de aprovechar o desperdiciar la entrevista como ocasión de saber más acerca de usted en lugar de solicitarle respuestas específicas de sus antecedentes, experiencia, estilo de trabajo y destrezas interpersonales.

Por lo regular, estos entrevistadores tienen un excelente sentido intuitivo de quién sí y quién no podría realizar bien la labor y adaptarse al grupo de trabajo. Por otra parte, a veces los candidatos se sorprenden porque los magníficos supervisores son malos para entrevistar. La verdad es que muchos gerentes adolecen de una capacitación adecuada en el arte de platicar con la gente con el objeto de realizar una contratación.

Los entrevistadores experimentados están capacitados para controlar el proceso y no permitir que se llegue a un punto muerto o a una senda improductiva. De alguna manera puede ser predecible el camino por el cual conducen una entrevista, incluso si aplican diferentes técnicas.

Por otra parte, es seguro que el gerente contratante carezca del conocimiento parcial o total, experiencia y habilidades del entrevistador inicial, lo cual lo convierte en un animal impredecible.

La gran mayoría de gerentes corporativos no sabe lo que cuesta contratar al candidato idóneo. Muy pocos han cursado un entrenamiento formal en la realización de entrevistas de cualquier tipo. Para empeorar las cosas, ¡la mayoría de los gerentes se siente más incómoda de hacer la entrevista que el nervioso candidato que tiene sentado al otro lado de su escritorio!

Por ejemplo, un gerente podría decidir que usted no es la persona adecuada para el empleo sin darse cuenta de que las preguntas que formuló fueron ambiguas o tan fuera de lugar que ni el candidato más idóneo hubiera podido dar la respuesta "correcta". Nadie supervisa el desempeño del entrevistador y el candidato no puede leer la mente; de manera que, con más frecuencia de la deseada, los candidatos por demás calificados se marchan para siempre, ¡sólo porque el gerente falló en la entrevista!

CUÍDESE DEL ENTREVISTADOR INEPTO

Pero eso no tiene por qué sucederle. Usted puede y debe prepararse para sacar a relucir sus cualidades sin importar lo que diga el gerente que lo entreviste. El primer paso es tener este libro a la mano, pero no todo acaba allí, pues el entrevistador puede no hacer ninguna de las preguntas que aparecerán más adelante.

¿Qué hará usted entonces? En los siguientes capítulos aprenderá a convencer, incluso al más duro de los gerentes, de que usted es la persona perfecta para el empleo.

En palabras simples, usted estará un paso adelante en el juego si se percata desde el principio de que los gerentes que entrevistan para contratar buscan mucho más que hechos acerca de sus habilidades y antecedentes. Esperan que algo mucho más evasivo los sorprenda, algo que ni ellos mismos podrían explicar. Quieren sentir que usted "encaja" en la organización o departamento.

¡Qué problemón! Pero saber a qué se enfrenta usted es haber ganado la mitad de la batalla. En lugar de sentarse con actitud pasiva y esperar lo mejor, puede ayudar al entrevistador inepto a concentrarse en cómo sus habilidades únicas pueden beneficiar al departamento u organización de manera directa echando mano de numerosos ejemplos específicos.

Una advertencia: no se presente con tanta fortaleza como si estuviera en medio de una campaña. La gente lo percibirá como fanático y egocéntrico. Perderá. Sólo muéstrese tranquilo y confiado mientras señala los hechos que conforman su experiencia y demuestre entusiasmo al descubrir, junto con su entrevistador, que las piezas del rompecabezas parecen coincidir con el empleo disponible.

¿Qué otros problemas inusuales podría usted enfrentar durante una entrevista?

EL ENTREVISTADOR "TODO YO"

Roberto cree que es muy buen entrevistador. Tiene una lista de quince preguntas que hace a cada candidato; siempre las mismas preguntas y en el mismo orden. Roberto toma notas de las respuestas y de vez en cuando formula una pregunta de seguimiento. Permite que le hagan preguntas. Es amistoso, simpático y le emociona el hecho de trabajar en Netcorp.com, lo cual comenta a cada candidato, a detalle, durante horas. No entiende por qué sólo un porcentaje muy pequeño de las personas que contrata tienen éxito. En realidad nunca he podido comprender al entrevistador que piensa que es pertinente contar la historia de su vida. ¿Por qué lo hacen? En parte por nerviosismo, por inexperiencia, pero en su mayor parte porque tienen la noción errónea de que deben venderle la empresa a usted en lugar de lo contrario. Hay ocasiones en que esto puede ser necesario; es decir, periodos de bajo desempleo, abundancia de empleos similares y escasez de candidatos calificados, un candidato que el entrevistador siente que es importante, y quizás está en lo cierto, que necesita venderle la empresa y vencer a la competencia.

En la mayoría de las circunstancias —como lo afirmo en mi libro para entrevistadores principiantes *Ask the Right Questions, Hire the Right People* (que es la versión de este libro para aquellos que están del otro lado del escritorio)—, usted debe ser quien dirija la conversación mientras el entrevistador se reclina en su asiento y decide si está dispuesto a comprar lo que usted vende.

¿Le beneficia el hecho de estar sentado frente al Señor Monólogo? Quizás usted crea que así es. Después de todo, mientras él alaba la cafetería nueva, usted no debe preocuparse por cometer errores. No debe explicar los motivos de su último despido ni por qué ha tenido cuatro empleos en tres meses. No, sólo reclínese, relájese e intente permanecer despierto.

Pero no creo que el Señor Monólogo le haga un favor. Una persona que monopoliza la conversación no le da la oportunidad que usted necesita para "mostrar la mercancía". Quizá desea evitar dejar una mala impresión, pero dudo que quiera marcharse sin dejar impresión alguna. Con sólo seguir los consejos de este libro, y en especial de este capítulo, usted conversará con el perceptivo entrevistador, quien formulará las preguntas abiertas que necesita para identificar al candidato adecuado para el empleo y que usted necesita para convencerlo de que es la persona indicada para la vacante.

EL ENTREVISTADOR "FUERA DE LUGAR"

Sí, se sabe de entrevistadores que son alcohólicos, drogadictos o discapacitados de alguna otra manera. Algunos ocupan el tiempo destinado a un candidato para hablar por teléfono o revisar su correo electrónico. Otros se enredan en discursos acerca de las guerras territoriales en la oficina por procedimientos o presupuestos.

Si lo tratan con tanta indiferencia aparente antes de contratarlo, ¿qué trato espera cuando ya sea un empleado?

En otro lugar existe un jefe que está dispuesto a tratarlo con el mismo respeto que espera de usted; este empleo no es el único disponible. Continúe su búsqueda.

TIEMPO DE ACORTAR LA DISTANCIA ENTRE EL ENTREVISTADOR Y USTED

Existen numerosos estilos en lo que se refiere a entrevistas persona a persona. El propósito general es, desde luego, examinarlo para descubrir si cuenta con las aptitudes y actitudes que la empresa busca.

Aunque los entrevistadores experimentados pueden aplicar más de una estrategia, es esencial saber cómo está usted en un momento determinado y qué hacer al respecto. He aquí un resumen de los métodos y objetivos de las técnicas más comunes.

LA ENTREVISTA CONDUCTUAL

Sus conversaciones con el entrevistador se enfocarán, casi en exclusiva, en su experiencia mientras él trata de saber más acerca de cómo se ha comportado usted en una variedad de situaciones laborales. Después intentará utilizar esa información para extrapolar sus reacciones futuras en el trabajo.

¿Cómo se las arregló usted en momentos muy problemáticos? ¿A qué tipo de desastres laborales ha sobrevivido? ¿Hizo usted lo correcto? ¿Cuáles fueron las repercusiones de sus decisiones?

Sea cuidadoso con lo que responda. Cada situación que vivió ha sido única, por lo que debe asegurarse de dar a conocer las limitaciones específicas a las cuales tuvo que enfrentarse. ¿Carecía usted del personal adecuado o del apoyo de la dirección? Si cometió el error de tomar una decisión súbita, dígalo y admita que aprendió a pensar las cosas con más calma. Explique que resolverá el problema de distinta manera la siguiente vez que ocurra.

Recuerde: los entrevistadores que aplican una entrevista conductual intentan asegurarse de que usted en verdad puede transitar por el camino, no sólo hablar de ello. Así que haga a un lado las generalizaciones y la tendencia a filosofar y no se pierda en los detalles. En otras palabras, sólo coméntele los problemas a los cuales se enfrentó, las acciones que realizó y los resultados que obtuvo, sin exageraciones.

Ésta es la razón por la cual es importante preparar tres, cuatro o más historias; es decir, experiencias reales que ilustren sus principales habilidades o capacidades. Sólo asegúrese de estructurarlas con base en un formato de "problema-solución-acción".

PANEL DE ENTREVISTA

En la actualidad, las jerarquías de las organizaciones son cada vez más planas. Esto significa que es más probable que gente de cualquier nivel de una empresa se involucre en una variedad de proyectos y tareas, incluso la de entrevistarlo.

El panel de entrevista puede ser desde una placentera conversación hasta un interrogatorio tortuoso. Por lo regular, usted se encontrará con un "grupo" o equipo de colegas alrededor de una mesa en una sala de juntas. Pueden ser miembros del departamento al cual usted aspira incorporarse o una selección de empleados de toda la empresa. Una variante un poco menos tensa es la estrategia del equipo de relevos, en la cual varios lo entrevistan por turnos breves consecutivos con pocas preguntas. Rara vez se le informa con anterioridad de que le espera una entrevista de este tipo.

El gerente contratante o alguna persona de Recursos Humanos pueden encabezar una sesión ordenada de preguntas y respuestas, o puede permitir que el grupo le dispare preguntas al azar como un escuadrón en pleno ataque. Cuando todo haya terminado, usted deberá sobrevivir a la evaluación de cada participante.

Algunos gerentes contratantes consultan con el panel de entrevistadores después de la entrevista para una "lectura" de su desempeño. Otros determinan su decisión con base en el consenso del grupo. La buena noticia es que usted no debe preocuparse de que la opinión subjetiva de una sola persona disminuya sus probabilidades de obtener el empleo. Si uno de los miembros considera que le hace falta confianza o que parece arrogante, otros podrían no estar de acuerdo. El entrevistador que emitió la crítica tendrá que defender su postura a satisfacción del equipo o guardar silencio.

También es más probable, aunque no garantizado, que un grupo de personas formule un rango más amplio de preguntas que pudieran descubrir y subrayar sus habilidades y experiencia. Sólo tómese su tiempo y trate a cada integrante con el mismo respeto y deferencia con que trata al gerente contratante.

Si se enfrenta a una serie de interrogatorios con una variedad de entrevistadores y debe responder las mismas preguntas, asegúrese de variar sus respuestas. Cite diferentes proyectos, experiencias, éxitos e incluso errores. De lo contrario, cuando ellos se reúnan para comparar sus notas, usted resultará ser "Juanito siempre lo mismo".

LA ENTREVISTA BAJO PRESIÓN

Las capacidades individuales son importantes, pero en algunos puestos la situación emocional puede resultar intimidante, las emergencias repentinas y el ritmo de trabajo agotador, no sólo de vez en cuando sino siempre. Incluso un candidato que conoce todos los detalles técnicos del puesto puede estremecerse ante la mirada de un jefe muy demandante o derrumbarse ante una fecha de entrega demasiado comprometida.

Cuando usted se entrevista para un puesto de esta naturaleza, tanto si busca empleo como corredor de bolsa, controlador de tráfico aéreo o guardia de prisión, el entrevistador puede creer que no tiene sentido determinar si usted es capaz de realizar el trabajo en las mejores condiciones sino que es preferible evaluar cómo se comportaría en las peores circunstancias. Es entonces cuando se presenta la entrevista bajo presión.

Ninguna persona que haya sobrevivido a alguna de este tipo de entrevistas podrá olvidarla. Una pregunta común en este escenario podría sonar burda o ruda, que es justo como debe sonar. En lugar de un placentero "cuénteme acerca de usted", un entrevistador bajo presión puede gruñir: "¿Por qué debería contratarlo a usted?"

¿Cómo puede saber que se encuentra en una entrevista bajo presión? He aquí algunas técnicas que el entrevistador podría utilizar:

- Ridiculiza todo lo que usted dice y pregunta por qué busca empleo en su empresa.

- No dice nada cuando usted entra a la oficina ni durante los siguientes cinco minutos. Sólo lo contempla tras su respuesta a su primera pregunta.

- Lo hace esperar más allá de la hora de la cita y mira su reloj mientras usted responde a sus preguntas.

- Se asoma por la ventana y parece no interesarse en absoluto en todo lo que usted tiene que decir.

- Desafía cada respuesta, se muestra contrario a cada opinión y lo interrumpe cada vez que habla.

- No se presenta cuando usted llega, sólo lo recibe con una pregunta ruda.

- Contesta su teléfono, trabaja en su computadora o come durante la entrevista.

- Usted puede estar sentado en una silla rota, justo frente a un ventilador a toda velocidad o junto a una ventana abierta... en pleno invierno.

Fui sometido a una entrevista bajo presión antes de conocer la técnica, la cual no es la mejor manera de prepararse, créame. Y mire que no aspiraba a convertirme en agente del FBI o controlador de tráfico aéreo, ¡sólo a simple editor!

Hace algunos años solicité un puesto editorial dentro de una gran empresa. Superé el primer obstáculo, una entrevista telefónica realizada en una oficina corporativa. Después fui invitado a volver para conocer a la directora de Personal, Paulina. Después de un amable saludo, Paulina me condujo a su oficina. Conversamos durante unos minutos mientras yo me adaptaba al entorno. Después, todo cambió. De pronto me vi sometido a un interrogatorio semejante al de la policía secreta en un país de los primeros diez de la lista de Amnistía Internacional.

Asumí que había recibido buenos comentarios del entrevistador y por eso me sorprendí cuando Paulina comenzó a disparar. Primero, cuestionó mi preparación académica. ¿Por qué, preguntó con sarcasmo, había yo estudiado humanidades en lugar de algo más práctico? Exigió saber por qué diablos pensaba yo que podía editar una revista, a pesar de que era lo que venía haciendo desde hacía varios años.

Cada pregunta sucesiva apuntaba hacia una nueva dirección. Si la primera pregunta se abocaba a mi experiencia laboral, la siguiente se refería a mi rutina de acondicionamiento físico, y la siguiente, a mi película favorita.

Las preguntas de Paulina provocaron justo lo que después descubrí que era su propósito: me hicieron sentir confuso, temeroso y hostil. Me comporté pésimo, lo admito: respondí a todas sus preguntas con monosílabos y evité el contacto visual.

No es necesario aclarar que no me ofrecieron el empleo, pero aprendí varias lecciones valiosas de Paulina aquel día:

- ● **NUNCA PERMITA QUE LO VEAN PERDER EL CONTROL.** Sin importar lo tensa que sea la situación, permanezca en calma. Nunca aparte los ojos del entrevistador. Cuando éste termine de formular una pregunta, tómese algunos segundos para centrarse y entonces, sólo entonces, responda.

- ● **RECONOZCA LA SITUACIÓN POR LO QUE ES.** Nada como un escenario artificial diseñado para ver cómo reacciona bajo presión. Es probable que el entrevistador no tenga nada personal en su contra. Es sólo un juego, aunque no sea placentero para usted.

- ● **NO SE DESALIENTE.** Es fácil pensar que le desagrada al entrevistador y que sus posibilidades de completar el proceso de entrevista son nulas. No es el caso. La entrevista bajo presión está diseñada para ver si usted se deprime, se comporta hostil o se altera cuando las cosas se ponen difíciles.

- ● **CUIDE EL TONO DE SU VOZ.** Es fácil volverse sarcástico durante una entrevista bajo presión, en especial si usted no se da cuenta de la intención de ésta.

Si es sometido a una entrevista bajo presión, quizá se cuestione el hecho de buscar empleo en una empresa que utiliza dichas técnicas. Si ellos creen que insultarlo o minimizarlo durante la entrevista son herramientas efectivas, ¿cuál es su filosofía de dirección, golpes a las nueve y tortura a las dos?

No confunda una entrevista bajo presión con una entrevista negativa. En la segunda, el entrevistador sólo hace énfasis en los aspectos negativos del trabajo en cada oportunidad. Incluso podría inventar algo: "¿Representa algún problema para usted limpiar los excusados todos los sábados por la mañana?", o "¿tres horas diarias de trabajo adicional serían problemáticos para usted?".

LA ENTREVISTA DE CASO

"Su cliente es una editorial. Su impresor llama para decirle que el libro más importante del año tiene un error tipográfico en el lomo. Un grave error. Se imprimieron más de 100,000 ejemplares. ¿Qué debe hacer?"

Nada se compara al terror que genera una pregunta hipotética, en especial cuando es producto de la rica imaginación de su entrevistador. Hablaremos más acerca de estos demonios en el capítulo 7 pero, por ahora, sepa que la pregunta hipotética encenderá una luz roja en su mente; es la señal de que usted está a punto de someterse a un tipo de entrevista cada vez más popular: la entrevista de caso o situacional. Si usted busca un empleo en una firma de consultoría, despacho legal u organización de asesoría, puede esperar enfrentarse a este tipo de entrevistas.

La premisa es clara: presentar al candidato situaciones hipotéticas que podrían ocurrir en el trabajo con el fin de calcular el grado en el cual demuestra las características que lo conducirán al éxito. Es difícil, pero no imposible, prepararse para este tipo de preguntas, lo cual significa que tendrá que analizar un problema poco común y desarrollar una estrategia para resolverlo en ese lugar y momento.

Lo deseable es una combinación entre experiencia en la vida real, creatividad, inspiración y disposición a reconocer la necesidad de más información o asistencia. Incluso muchos entrevistadores formulan preguntas hipotéticas diseñadas para eliminar candidatos a quienes se les dificulta solicitar ayuda a otros miembros del equipo. Ellos quieren comprender cómo enfrenta usted un problema, el marco dentro del cual busca una solución y el proceso de pensamiento que utiliza.

Usted tendrá que dedicar mucho esfuerzo mental a cada una de estas preguntas. Si se encuentra atrapado en esta circunstancia, permanezca tranquilo y aproveche la tarea que realizó en casa referente a su inventario personal para salir airoso.

He aquí algunos consejos para enfrentar una entrevista de caso:

- **TOME NOTAS SOBRE EL PROBLEMA QUE SE LE PRESENTA.** Pregunte los detalles. Tenga presente que no toda la información es pertinente para la solución. (¡Ese astuto entrevistador!)

- **EVITE LAS GENERALIZACIONES.** El entrevistador querrá escuchar acciones concretas que conduzcan a una solución, no su filosofía acerca de cómo enfrentar un problema.

- **NO SE PIERDA EN LOS DETALLES.** El propósito es ver cómo enfrenta usted el problema en general, de modo que debe concentrarse en los hechos más importantes.

- **HAGA PREGUNTAS.**

◉ **COMPARTA SUS PENSAMIENTOS EN VOZ ALTA.** Eso es lo que el entrevistador desea escuchar en realidad.

◉ **RESÍSTASE A LA URGENCIA DE APURARSE. TÓMESE SU TIEMPO.** Mientras más complicado sea el problema, más tiempo se espera que usted tome.

◉ **NO HAY NADA MALO EN UNA PERSPECTIVA CREATIVA,** pero siempre debe presentarla dentro de un entorno lógico.

Las entrevistas de caso se aplican a candidatos para puestos altos; sin embargo, candidatos a todo tipo de puestos pueden recibir la oportunidad de intentarlo; es decir, demostrar que en verdad pueden hacer el trabajo. A los oficinistas pueden aplicárseles pruebas de mecanografía o archivo; a los editores puede pedírseles editar un artículo para revista o el capítulo de un libro con límite de tiempo; a un vendedor puede solicitársele que llame y venda a un cliente potencial; a un programador de computadoras puede pedírsele que cree un código. Mientras más técnico sea el puesto, es más probable que no se limiten a creer en su afirmación de que usted es capaz de desempeñarse en él.

LAS ENTREVISTAS DE PREGUNTAS CAPCIOSAS

Así como los famosos entrevistadores de Microsoft utilizan este tipo de preguntas: "¿Cómo movería usted el Monte Fuji?". Opuesto a las entrevistas de caso, diseñadas para resaltar sus procesos lógicos, la lista de preguntas diseñadas para evaluar cuán creativa es su perspectiva acerca de un problema es casi ilimitada:

- ¿Cuántos pozos petroleros hay en Texas?

- ¿Cuántos dentistas hay en Polonia?

- ¿Cómo construiría usted una mejor trampa para ratones?

La mayoría de los consejos que le di para salir airoso de una entrevista de caso son relevantes aquí: tómese su tiempo, haga preguntas pertinentes y después comente en voz alta el proceso que seguirá para formular su respuesta.

En el siguiente capítulo, y en el resto del libro, exploraremos las miles de preguntas potenciales que le esperan y las respuestas que le ayudarán a obtener el empleo que desea.

CÓMO SOBRESALIR EN CUALQUIER ENTREVISTA

◎ **RELÁJESE.** Piense en la entrevista como una aventura, no como un tribunal. Intente disfrutarlo. Imagine que el entrevistador es una estrella deportiva, un autor famoso o una celebridad cinematográfica a quien siempre ha admirado. Evite no concentrarse en la panza de la mediana edad o la reluciente calvicie.

◎ **SONRÍA SIEMPRE.** No, no una sonrisa falsa. Sólo mantenga una sonrisa placentera y relajada que sea, espero, resultado de haberse involucrado en una interesante conversación. ¿Quién no querría trabajar con una persona tan agradable?

◎ **SEA ENTUSIASTA** acerca del puesto, sus logros y lo que sabe sobre la empresa. Pero no exagere si su entusiasmo no es genuino.

◎ **SEA HONESTO.** Mentir acerca del detalle más pequeño e insignificante podría ser la causa de una eliminación inmediata.

◎ **ESTABLEZCA CONTACTO VISUAL FRECUENTE.** ¿Alguna vez conoció a alguien que no lo miraba a los ojos? Después de un rato, quizá se haya preguntado qué habrá intentado ocultar. Usted no querrá que su entrevistador se pregunte algo semejante, de manera que busque su mirada, mientras lo saluda, con frecuencia a lo largo de la entrevista. Pero no lo mire fijamente; el contacto visual incesante es tan negativo como la ausencia de él.

◎ **CONSERVE UNA ACTITUD POSITIVA.** Como ya veremos cuando hablemos acerca de las preguntas relacionadas con sus empleos anteriores, usted debe aprender a darle un giro positivo a todo, en especial a los temas sensibles como sus motivos para dejar un empleo, las relaciones conflictivas con sus superiores o la carencia de las capacidades requeridas.

- **NO PERMITA QUE UN ENTREVISTADOR INEPTO LO DESESTABILICE.** Haga brillar la preparación en la cual invirtió tanto tiempo, en especial cuando un gerente le "lance una curva". Si es necesario, su preparación previa deberá permitirle tomar el control de la entrevista y hacer énfasis en las muchas maneras en que usted beneficiará a su empleador potencial.

3

Háblame sobre usted

Ahí está. La mamá de todas las preguntas de entrevista y que, aun cuando resulta increíble, todavía hace temblar a algunas personas.

En realidad es más una solicitud que una pregunta pero, más que ninguna otra, lo coloca bajo los reflectores y, si no está bien preparado para un preludio tan abierto en lugar de la serie de preguntas regulares acerca de sus habilidades, antecedentes y aspiraciones que usted espera, puede paralizarlo y hacerle ganar un boleto de salida inmediata de la entrevista.

¿Por qué es una pregunta preferida por los entrevistadores? Muchos la consideran una manera agradable de romper el hielo y les brinda la oportunidad de medir la química inicial, además de permitirles conocer un poco al individuo no identificado que está sentado frente a ellos (que es usted) y obligarlo a llevar la charla, ¡durante al menos un par de minutos!

¿Debe esta pregunta sorprenderlo sin estar preparado? No. Le garantizo que ésta será una de las tres primeras preguntas que le harán; ¡con frecuencia será la primera! Así que,

¿qué sucede si usted balbucea y tartamudea un discurso de asociación libre que comienza en la clase del jardín de niños y diez minutos después, se aboca a los detalles de sus intentos como porrista en el bachillerato? Quizá rompa el récord de la entrevista más breve de la semana.

¿Busca el entrevistador claves específicas, palabras particulares, lenguaje corporal? O, como he sospechado en secreto de muchos inexpertos, ¿sólo intentan poner a rodar el balón?

Eso no debe importarle a usted. Como se preparó, sabe que ésta puede ser su oportunidad de oro para dar una respuesta que demuestre las cuatro anheladas características: inteligencia, entusiasmo, confianza y lealtad.

Así que examine el inventario personal que elaboró en el capítulo 1; ya le había dicho que sería un importante prerrequisito para hacer buen uso de este libro. Estudie los temas que listó debajo de los siguientes encabezados:

- Mis habilidades más fuertes.
- Mis mayores áreas de conocimiento.
- Mis mayores fortalezas de personalidad.
- Las cosas que hago mejor.
- Mis logros principales.

¿QUÉ QUIEREN ESCUCHAR?

A partir de esta información, ahora usted construirá un resumen bien pensado, estructurado y lógico de su experiencia, habilidades, talentos y estudios. Asegúrese de vincular esta breve y clara introducción de su experiencia con los requerimientos del puesto. Sin embargo, cerciórese de mantener su discurso bien enfocado, de emplear entre 250 y 350 palabras y de proporcionar detalles específicos. No debe tomarle más de dos minutos ofrecer una respuesta que incluya la siguiente información:

- Breve introducción.

- Logros clave.

- Fortalezas clave demostradas en dichos logros.

- Importancia de sus fortalezas y logros para el empleador potencial.

- Dónde y cómo se ve usted en el desempeño de ese puesto al cual aspira.

Una vez más, no hablamos aquí de recitar *La guerra y la paz*. Está bien un discurso de entre 250 y 350 palabras, que le tomará entre 90 y 120 segundos.

 LUZ VERDE

Así es como Bárbara, recién graduada de la carrera y aspirante a un puesto de ventas, respondió a esta pregunta:

> *"Siempre he podido relacionarme con diferentes tipos de personas. Creo que es porque soy buena para hablar y mejor para escuchar".*

> [Se presenta con modestia y de inmediato menciona las habilidades más importantes que un ejecutivo de ventas debe tener.]

> *"En mi último año de preparatoria, cuando comencé a pensar con seriedad en las carreras que*

serían apropiadas para mí, las ventas me vinieron a la mente casi de inmediato. Durante la preparatoria y en las vacaciones de verano en la universidad desempeñé varios empleos temporales en tiendas de menudeo".

[Demuestra iniciativa y al menos un poco de experiencia en el ramo.]

"A diferencia de muchos de mis amigos, en realidad me gustaba atender a la gente".

[Expresa entusiasmo por vender.]

"No obstante, también me di cuenta de que las ventas al menudeo tienen sus limitaciones, de manera que me puse a investigar acerca de otros puestos comerciales. En particular me fascinó lo que se describe como 'consultoría de ventas'. Me gusta la idea de visitar a un cliente, sobre el que ya investigué, y demostrarle cómo nuestros productos pueden ayudarle a resolver algunos de sus problemas más importantes, y después darle seguimiento."

[Demuestra interés y entusiasmo por el empleo.]

"Después de escribir un ensayo sobre consultoría de ventas en mi último año de universidad, comencé a buscar empresas en las cuales pudiera aprender y refinar habilidades con el ejemplo de otras personas que trabajaran como ejecutivos de cuenta".

[Demuestra iniciativa en la investigación sobre la consultoría de ventas al redactar un ensayo al respecto y en la investigación de empresas que pueden ser clientes.]

"Lo anterior me condujo a su empresa, señor Ruiz. Me parece emocionante la posibilidad de trabajar para empresas que de manera muy eficiente incrementan la energía de sus instalaciones. También he descubierto algunas cosas acerca de sus programas de entrenamiento para ventas. Me parece que son muy vanguardistas".

[Hace evidente que ella es una persona entusiasta y con iniciativa.]

"Supongo que lo único que encuentro un tanto difícil de trabajar para Co-Generation, Inc., es vender esos equipos de alta tecnología sin tener estudios de ingeniería. Por cierto, ¿qué tipo de apoyo ofrece su personal técnico para la fuerza de ventas?"

[Demuestra que desea aprender lo que ignora y en el cierre muestra deferencia hacia la autoridad del entrevistador. Al formular una pregunta, Bárbara se dio un respiro. Ahora el balón de la conversación está en la otra cancha.]

Con base en la aparente sinceridad y detalle de sus respuestas, es un buen discurso de alrededor de 300 palabras, ¿o no?

A continuación presento otro ejemplo de un entrevistado más experimentado. Con más de una década de experiencia,

José solicita el empleo de sus sueños como gerente general en una empresa que proporciona servicios de mantenimiento a casas y negocios.

A lo largo de la entrevista, se da cuenta de que hay un par de puntos en su contra. En primer lugar, él ha tenido cuatro empleos recientes así que muestra cierta movilidad. En segundo lugar, aún no tiene la experiencia en dirección, requerida para el puesto, que es equivalente a administrar un negocio que genera siete millones de dólares por año.

Pero dado que ha anticipado la primera pregunta de entrevista que, de otra manera, hubiera sido devastadora: "Dígame algo que me ayude a tener una mejor opinión sobre usted que lo que leo en su currículum", que es una ligera variación de "Hábleme sobre usted", José está preparado con este contragolpe ganador:

> *"Soy un gran trabajador que adora este negocio. He sido un valioso activo para todos los jefes que he tenido y mi experiencia me convertirá en un mejor activo para usted".*

> *"Creo que este momento es la mejor época que he visto en esta industria. Claro, hay mucha más competencia y es más difícil que nunca conseguir buena ayuda, pero todos los indicadores señalan que más y más compañías subcontratan a sus proveedores de mantenimiento y que más hogares con dos ingresos requerirán de los servicios que nosotros proporcionamos".*

> *"¿Cómo podemos obtener una rebanada más grande de ese negocio? ¿Cómo reclutaremos y capacitaremos*

al mejor personal? Porque, después de todo, ellos son el secreto de nuestro éxito. Ésos son los desafíos que enfrentan los gerentes en este ramo".

"Puedo ayudar a su empresa a enfrentar dichos desafíos. Un currículum no cuenta toda la historia pero el mío demuestra que soy muy trabajador. He tenido ascensos en todas las empresas para las cuales he trabajado".

"Aportaré una buena perspectiva al puesto porque he sido operador y supervisor. La gente que ha trabajado para mí respetó siempre mi opinión porque sabe que comprendo bien su labor".

"Tengo un excelente sentido de negocios. Soy muy bueno para controlar los gastos y sé distribuir a la gente con eficiencia. Soy justo y tengo facilidad para relacionarme con los clientes".

"Siempre he admirado a su empresa. Debo admitir que adopté algunos de los métodos de 'Limpieza Eficaz, S.A.' y los apliqué en las empresas para las cuales he trabajado".

"Ahora veo que ustedes han abierto el ramo de mantenimiento de jardines. Trabajé para una empresa de paisajes durante los veranos en la preparatoria. ¿Cómo va ese negocio?"

Con muy pocas palabras, este candidato exitoso logró:

- **CONCENTRAR AL ENTREVISTADOR SÓLO EN LOS ASPECTOS POSITIVOS DE SU CURRÍCULUM.** Cierto, ha cambiado de empleo pero, después de su respuesta, es probable que el entrevistador piense: "Hey, miren lo que ha logrado a cada paso de su carrera".

- **ORIENTAR LA ENTREVISTA HACIA LA DIRECCIÓN DESEADA.** Demostró habilidades de liderazgo, experiencia y buen conocimiento del mercado.

- **INTRODUCIR SÓLO LA MEDIDA EXACTA DE HUMILDAD.** Mientras aprovechaba cada oportunidad para dirigir los reflectores hacia sus abundantes logros y fortalezas profesionales, José se retrató como un gerente del tipo que "se remanga la camisa" y que se sentirá cómodo tanto con los trabajadores como con los gerentes en las oficinas.

- **DEVOLVER EL BALÓN AL ENTREVISTADOR CON UNA PREGUNTA MUY BIEN FUNDAMENTADA.**

A pesar de que José y Bárbara ensayaron sus discursos, ninguno de los dos lo memorizó palabra por palabra. Es importante recordar que el entrevistador no le pedirá que presente un ensayo perfecto sino sólo que hable de persona a persona. José también salpicó su charla con lenguaje propio de la industria aquí y allá, lo cual fue muy apropiado.

PREPÁRESE PARA LA PREGUNTA ASESINA

- **COMPLETE SU INVENTARIO PERSONAL.** Si usted se saltó la tarea del capítulo 1, regrese y hágala ahora.

- **PROYECTE SU INVENTARIO PERSONAL EN UNA PRESENTACIÓN MOTIVANTE.** Utilice detalles para pintar un retrato breve y positivo de usted mismo; un retrato en el cual usted se represente como un profesional entusiasta y competente, el candidato ideal para el puesto.

- **NO LO MEMORICE PALABRA POR PALABRA.** Usted desea sonar fresco, no como si estuviera leyendo un conjunto de tarjetas informativas. Grábese mientras habla hasta oírse sincero y espontáneo.

- **INCLUYA PALABRAS Y FRASES FUERTES Y POSITIVAS.** Usted desea proyectar entusiasmo y confianza, así como conocimientos y experiencia. Lo que no sabe, está dispuesto a aprenderlo.

- **UTILÍCELA PARA ESTABLECER EL CURSO DE LA ENTREVISTA.** Anticipe el hecho de que la pregunta asesina surgirá al principio de la entrevista, de manera que esté listo para usarla como oportunidad para orientar la entrevista hacia la dirección que usted desee. Afine su respuesta para darle un tinte positivo a cualquier punto negativo potencial, como un aparente cambio constante de empleos o la falta de experiencia requerida. Reflexione acerca de las habilidades o logros particulares que desea destacar durante la entrevista y prepare al menos un buen ejemplo de cada uno de ellos.

> ● **FINALICE CON EL BALÓN EN LA CANCHA DEL ENTREVISTADOR.** Al terminar su respuesta con una pregunta, usted se permite un merecido respiro y, una vez más, demuestra su compromiso y entusiasmo.

 ## LUZ ROJA

● **FALTA DE CONTACTO VISUAL.** El entrevistador hace esta pregunta para encontrar un poco de empatía, así que ofrézcale la reacción que espera.

● **FALTA DE FRASES Y PALABRAS FUERTES Y POSITIVAS.** Es la primera pregunta y, por tanto, su primera oportunidad de avanzar con el pie derecho. Emplee palabras que impliquen entusiasmo, responsabilidad, dedicación y éxito. Si la primera respuesta no está inspirada, en especial si suponemos que usted la ha preparado e incluso ensayado, casi nunca he visto que el resto de la entrevista mejore gran cosa.

● **UNA RESPUESTA GENERAL Y VAGA QUE NO CITE O SUBRAYE LOGROS ESPECÍFICOS.** Es un beneficio que usted haya sido lo bastante astuto como para editar lo que todos sabemos que es un discurso bien ensayado para asegurarse de que es relevante para el puesto disponible. Muchos entrevistadores considerarán que no es ventajoso escuchar un montón de generalidades y muy pocos detalles que las respalden.

◎ **FALTA DE RELEVANCIA EN CUANTO AL EMPLEO O LA EMPRESA.** El entrevistador no le pidió que le contara acerca de sus pasatiempos, de su perro o de su helado favoritos ni sobre su banda musical en la adolescencia. Algunos entrevistadores quizá le den el beneficio de la duda si su respuesta es demasiado general o personal, pero muy pronto buscarán detalles específicos relacionados con el trabajo.

◎ **FALTA DE ENTUSIASMO.** Si usted no muestra emoción por ser candidato a un empleo, la mayoría de los entrevistadores no asumirán que usted se comprometerá de repente una vez contratado.

◎ **NERVIOSISMO.** Algunas personas son nerviosas por naturaleza en la intimidante y artificial atmósfera de una entrevista, y los entrevistadores más experimentados no considerarán que ésta sea una razón automática para pedirle a su secretaria que les anuncie una "conferencia de emergencia"; sin embargo, sí se preguntarán qué puede estar al acecho: un despido, una demanda por acoso, algo que no será una buena noticia.

◎ **FORMULAR UNA PREGUNTA PARA CLARIFICAR UN TEMA, como: "¿Qué es lo que usted desea saber?"** o **"¿Sobre cuáles áreas en particular desea que le hable?".** Como ya dije, me resulta difícil creer que cualquier persona que se entreviste para cualquier empleo no anticipe que le harán esta pregunta. ¿Qué cree que desean saber? ¿Su opinión sobre las elecciones? El entrevistador quiere conocer su experiencia, habilidades, talentos y educación, así que responda a la pregunta de manera estructurada y con brevedad y prepárese para lo que está por venir.

VARIACIONES

- ¿Qué es lo que lo hace especial, único o diferente?

- ¿Cuáles son los cinco adjetivos que lo describen mejor?

- Califíquese en una escala del 1 al 10.

- ¿Cómo describiría usted su carácter?

- ¿Cómo describiría usted su personalidad?

No obstante las pequeñas diferencias, usted sólo debe editar su presentación para responder a cada una de las preguntas anteriores de la misma manera. A pesar de que la primera, la cuarta y la quinta parecen más dirigidas, las cinco buscan la misma información.

- ¿Por qué debería contratarlo?

- ¿Por qué debería considerarlo un fuerte candidato para este puesto?

- ¿Qué es mejor en usted que en los otros candidatos que he entrevistado?

- ¿Qué puede hacer usted por nosotros que nadie más podrá hacer?

Éstas son preguntas más agresivas, el tono de cada una es un poco más fuerte. Está claro que alguien que recurra a alguna de estas variantes pretende que usted esté muy consciente de que está sentado en el banquillo de los acusados. Quizá se deba a su estilo particular o tal vez sea la introducción a su propia versión de entrevista bajo presión, por lo que puede ser sólo una manera de ahorrar tiempo y averiguar cómo responde usted a la presión desde el inicio.

El entrevistador le ha dado la señal de salida e intenta separar a los "no calificados" por medio de una sola pregunta, pero en realidad le ha dado una oportunidad magnífica para extenderse en su investigación previa a la entrevista. Si usted no investigó, bien puede considerar que está en problemas.

 ¿CUÁLES SON SUS FORTALEZAS COMO EMPLEADO?

 ¿QUÉ QUIEREN ESCUCHAR?

Con el fin de prepararse para esta pregunta, así como para las variaciones mencionadas, saque las hojas de datos que elaboró en el capítulo 1 y escriba la descripción del puesto que usted solicita. Esto le ayudará a clarificar en su mente cada requerimiento específico del empleo. Después, vincule sus fortalezas y logros con los requerimientos del puesto.

Presumamos que posee la singular habilidad de cumplir con las fechas límite menos razonables. Usted es tenaz. Nada puede detenerlo. Si cumplir con las fechas límite es un requerimiento clave del puesto, asegúrese de citar dos o tres ejemplos pertinentes de su experiencia. Mientras más asombrosa sea la fecha límite y más sorprendentes sus esfuerzos, más importante será que los presente a la atención del entrevistador, al menos dos veces.

¿Hay alguna deficiencia en sus capacidades? Es probable que sí, en especial si usted busca el desafío en el siguiente nivel de su carrera. Ahora es momento de cavar y enfrentar las duras preguntas que usted sabe que seguirán a las anteriores.

 ¿CÓMO LO DESCRIBIRÍA SU MEJOR AMIGO, SU COMPAÑERO DE HABITACIÓN EN LA UNIVERSIDAD, SU PROFESOR FAVORITO, SU JEFE PREFERIDO, SU MADRE, SU FAMILIA, ETCÉTERA?

 ¿QUÉ QUIEREN ESCUCHAR?

En lo personal comenzaría con la variación del "mejor amigo" si entrevistara a alguien. Se supone que esa persona es quien mejor lo conoce, así que si usted me presenta un retrato insuficiente de su persona, yo acortaría la entrevista a quince minutos. Otra perspectiva que algunos entrevistadores prefieren es pedirle que describa a su mejor amigo y después señale las diferencias entre ustedes. Lo anterior se basa en la teoría no probada pero razonable de que si alguien es su mejor amigo, es probable que ambos tengan muchas cosas en común. Como se supone que usted describe a su mejor amigo y no a sí mismo, algunos entrevistadores creen que usted, de forma inadvertida, revelará particularidades de carácter; es decir, defectos, que de otra manera intentaría ocultar. Por tanto, tómese la molestia de describir a una persona que para su interlocutor sea fácil de contratar.

Todas las demás variaciones a esta pregunta pueden ser utilizadas por entrevistadores experimentados para indagar en épocas específicas, como la universidad, la preparatoria o su último empleo, o sólo tener una imagen más clara de usted. Lo que su padre o su madre dirían, por ejemplo, puede dar una idea precisa del tipo de ambiente en el cual creció.

¿QUÉ DESEA HACER DENTRO DE CINCO AÑOS?

 ## ¿QUÉ QUIEREN ESCUCHAR?

¿Son compatibles las metas de la compañía con las suyas? ¿Busca usted un crecimiento rápido o lento en un puesto que el entrevistador sabe que es un callejón sin salida? ¿Pide usted más dinero del que la empresa puede pagar? ¿Cómo han cambiado sus metas y motivaciones a medida que usted ha madurado y adquirido experiencia laboral? Si usted se convirtió en gerente hace poco, ¿cómo ha afectado su reciente ascenso en su perspectiva laboral a futuro? Si usted se ha dado cuenta de que necesita adquirir o desarrollar determinada habilidad, ¿cómo y cuándo planea hacerlo?

Esta pregunta no es tan popular como lo fue hace tiempo debido a que el ritmo de cambio de algunas corporaciones es demasiado veloz. Es más probable que se le solicite concentrarse en un rango de tiempo mucho más reducido: "¿Qué podrá lograr durante los primeros 90, 100 o 180 días en el puesto?".

 ## LUZ VERDE

Como es natural, usted desea un puesto que implique responsabilidad en su ramo, pero no quiere dar la impresión de ser una piraña que quiere alimentarse de los pececillos de su departamento, así que inicie con humildad:

> *"Bueno, eso dependerá de mi desempeño laboral y del crecimiento y oportunidades que la empresa me ofrezca".*

Después pavonéese un poco:

"Ya he demostrado características de liderazgo en todos los trabajos que he desempeñado, de manera que confío en tomar cada vez mayores responsabilidades de dirección en el futuro. Eso me sienta bien. Disfruto de conformar un equipo, desarrollar sus metas y trabajar para alcanzarlas. Es muy gratificante".

En otras palabras, usted quiere "más": más responsabilidad, más gente que le reporte, más nivel, incluso más dinero. Una respuesta general como la anterior está bien pero que no le sorprenda que el entrevistador formule las preguntas obvias de seguimiento, con la respuesta a la pregunta anterior como guía:

- "Hábleme acerca del último equipo que usted encabezó".

- "Cuénteme sobre el último proyecto que su equipo realizó".

- "¿Cuál ha sido el puesto más satisfactorio que usted ha ocupado y por qué?"

- "Si yo le dijera que su crecimiento fue fenomenal y que usted puede llegar tan lejos como sus habilidades lo lleven, ¿adónde sería y en cuánto tiempo?"

 LUZ ROJA

Si usted responde: "Su empleo". ¿No se ha cansado todo el mundo de esa desafortunada respuesta?

Si usted se niega a responder de manera particular, es decir, sin metas específicas, sin importar lo mucho que se le induzca a ello. Su falta de habilidad o de disposición para citar metas específicas y positivas puede dar la impresión, válida o no, de que usted no se ha tomado el tiempo necesario para reflexionar acerca de su futuro, lo cual hace imposible decidir si existe relación alguna entre sus metas y las de la empresa.

Si usted insiste en obtener el mismo empleo que ha solicitado, a menos que se trate de un empleo tipo callejón sin salida y al entrevistador le complazca la posibilidad de que alguien se quede allí durante más de tres semanas, ¡a diferencia de las catorce personas que han ocupado el puesto!

Cualquier respuesta que revele expectativas irreales. Un candidato experimentado debe tener cierta idea del tiempo que toma ascender por la escalera profesional en una industria en particular o incluso en una compañía en particular. Una persona que espera ascender de recepcionista a directora general en dos años seguro que asustará a la mayoría, aunque cualquier expectativa demasiado ambiciosa puede hacerlos dudar. Si un pasante de derecho, por ejemplo, pretende convertirse en socio del bufete en cuatro años cuando el tiempo promedio en todas las firmas es siete años y, para ésa en especial, diez, hará que hasta el más inexperto de los entrevistadores cuestione la profundidad y la efectividad de su investigación previa a la entrevista.

No hay nada de malo en ser ambicioso y tener confianza en uno mismo más allá de todo límite, pero un candidato hábil debe atemperar dichas expectativas ilimitadas durante la entrevista. La mayoría de los entrevistadores está consciente de que algunos aspirantes constituyen la excepción a la regla, ¡pero se sentirán un poco nerviosos frente a personas que exhiben una ambición desbocada!

Si usted ha provocado que su interlocutor se preocupe de que su empresa no pueda cumplirle las promesas que usted parece querer escuchar, puede esperar una pregunta de seguimiento: "¿En cuanto tiempo después de su contratación cree usted que puede contribuir a nuestro éxito?". Incluso una persona con gran experiencia sabe muy bien que cada empresa tiene sus maneras particulares de hacer las cosas y que la curva de aprendizaje puede tomar días, semanas o meses según las circunstancias, de manera que cualquier candidato, en especial una persona joven y muy ambiciosa, que asegure con ligereza que será productivo desde el primer día, es causa de preocupación. El entrevistador en realidad intenta evaluar, en el caso de una persona inexperta, cuál es su capacidad de entrenamiento, ¡y usted le acaba de decir que lo sabe todo! No es un buen inicio.

Por alguna razón, algunos candidatos olvidan que ésta es una entrevista, no una conversación en un bar o con amigos. Como resultado, suelen arrojar respuestas que sólo pueden considerarse fantasías, como jubilarse, ser propietario de un negocio, etcétera. No me atrevo a intentar explicar por qué piensen que ésa es una respuesta relevante en su búsqueda de empleo. Recomiendo mucho que no se responda a esa pregunta de esa manera.

VARIACIONES

- ¿Cuáles son sus metas a largo plazo más importantes?
- ¿Ha establecido nuevas metas u objetivos en fechas recientes?
- ¿Qué quiere hacer con su vida?

Estas preguntas le proporcionan la oportunidad de demostrar cómo sus metas y motivaciones han cambiado a medida que usted madura y adquiere valiosa experiencia laboral. Si hace poco fue nombrado gerente, hable acerca de cómo ha influido esa experiencia en su perspectiva profesional hacia el futuro. Si se ha dado cuenta de que debe perfeccionar determinada habilidad para que su crecimiento continúe, dígale al entrevistador lo que hace al respecto.

 ## SI PUDIERA CAMBIAR UNA CARACTERÍSTICA DE SU PERSONALIDAD CON SÓLO TRONAR LOS DEDOS, ¿CUÁL SERÍA Y POR QUÉ?

 ## ¿QUÉ QUIEREN ESCUCHAR?

Que usted tiene debilidades, desde luego, pero ninguna que sea letal. El consejo profesional convencional ha sido que usted cite alguna debilidad que en realidad sea una fortaleza y que usted pueda demostrar: "Sabe, señor, es que trabajo demasiado. Tengo que tomarme más tiempo de descanso y no sólo el domingo de 5 a 7". Claro que sí.

Una respuesta que la mayoría de los entrevistadores encontrará adecuada revelará una debilidad que usted ya ha corregido o, en una ligera modificación de la pregunta, un error que cometió en su empleo previo y las lecciones que aprendió de él. En ambos casos, usted convertirá una pregunta negativa en una respuesta positiva.

Mi estrategia siempre fue citar una habilidad o calificación en particular que era evidente que me hacía falta... pero que no se necesitaba para nada en el empleo que yo solicitaba.

LUZ ROJA

Identificar una debilidad que esté relacionada con el empleo o, peor aún, que sea esencial para el puesto disponible. Por ejemplo, la falta de habilidad para trabajar con otras personas cuando el empleo disponible se basa en el trabajo en equipo.

Citar una debilidad que sea tan básica o tonta que el entrevistador se pregunte si ése es el mayor defecto, pues sólo le pidió mencionar una característica que le gustaría cambiar.

VARIACIONES

- Dígame cuál es el mayor orgullo de su vida.
- Cuénteme cuál ha sido la peor decisión que ha tomado.
- Dígame cuál es la peor vergüenza de su vida.
- ¿Cuál es su mayor debilidad?

La primera pregunta lo coloca en una postura cómoda porque es una pregunta positiva y usted puede responder en el mismo sentido. Las siguientes tres lo obligan a convertir una pregunta negativa en una respuesta positiva y, dado que cualquier pregunta negativa invita al incauto a lanzarse a un mar de recriminaciones ("¡Trabajar para ese último jefe imbécil, se lo aseguro!"), entra en un terreno donde puede haber arenas movedizas.

En todos los casos, el entrevistador invita a la conversación pero no en un solo sentido y con interrogantes abiertas como las anteriores. Éstas deben ser preguntas de seguimiento, en caso de que la petición de "hábleme acerca de usted" u otra similar no hayan puesto de manifiesto todo lo que el entrevistador deseaba. Por tanto, usted deberá interpretar dichas preguntas como señales de que necesita decirle a su interlocutor lo que él desea escuchar.

 ## DESCRIBA SU ESTILO DE DIRECCIÓN

 ## ¿QUÉ QUIEREN ESCUCHAR?

La mayoría de las empresas quieren a una persona que demuestre que está dispuesta y que tiene la habilidad de delegar, enseñar y distribuir el trabajo, además de que sea justa al adjudicar los créditos; a menos que, desde luego, el entrevistador sea un tonto autocrático en busca de un espejo. En general, es probable que usted desee ubicarse en un punto medio entre un dictador y un pusilánime. Los candidatos exitosos deben demostrar que tienen la habilidad de alcanzar sus metas en cuanto se les presente la oportunidad, pero deben evitar dar la impresión de ser adictos al trabajo y orientados al éxito sin importar el costo.

 ## LUZ VERDE

"Más que cualquier cosa, creo que la dirección implica hacer que el trabajo se realice a través de otras personas. La obligación del gerente es proporcionar los recursos y el ambiente propicio para que la gente trabaje con efectividad. Yo intento hacerlo por medio de la creación de equipos, de juzgar a la gente sólo con base en su desempeño, de distribuir

el trabajo con justicia y de motivar a los empleados, tanto como sea posible, a tomar sus propias decisiones. He descubierto que esta estrategia genera lealtad e inspira el trabajo arduo".

 ## LUZ ROJA

Escuche una de las respuestas demasiado simples que he recibido durante algunas entrevistas:

"Yo trato de agradarle a los demás para que le echen ganas al trabajo." "Creo que podría decir que soy una persona orientada a la gente".

 ## ¿QUÉ SIGNIFICA EL ÉXITO PARA USTED?

 ## ¿QUÉ QUIEREN ESCUCHAR?

Usted deberá ofrecer una respuesta equilibrada y citar ejemplos, tanto personales como profesionales. Si sus éxitos sólo se relacionan con el trabajo, un entrevistador podría preguntarse si usted tiene vida. Sin embargo, si usted habla sin coherencia acerca de sus metas y logros personales, podría parecer poco comprometido con el esfuerzo para alcanzar el éxito en el trabajo.

 ## LUZ VERDE

Busque un equilibrio y hable acerca del éxito en términos semejantes a este ejemplo:

"Siempre he disfrutado de supervisar a un equipo de diseño. De hecho, descubrí que soy mejor cuando trabajo con otros diseñadores que cuando lo diseño todo yo solo. A diferencia de mucha gente de mi ramo, también soy capaz de atender los requerimientos del departamento de producción".

"Por lo anterior, supongo que podría decir que el éxito significa trabajar con otras personas para producir diseños eficientes que puedan entrar pronto a la línea de ensamblaje. Desde luego, las recompensas financieras de dirigir un departamento me proporcionan los medios para viajar en mis vacaciones. Eso es lo que más me gusta en lo que se refiere a mi vida personal".

 LUZ ROJA

Si el entrevistador identifica cualquiera de los siguientes problemas en su respuesta, usted ya está fuera y más le vale pensar en otra opción:

- Incompatibilidad entre las metas de la empresa y las de usted.

- Falta de enfoque en su respuesta.

- Respuesta demasiado general sin proporcionar ejemplos sobre los éxitos que ya ha alcanzado.

- Demasiados ejemplos personales.

- Demasiados ejemplos laborales.

¿QUÉ SIGNIFICA EL FRACASO PARA USTED?

 ## ¿QUÉ QUIEREN ESCUCHAR?

Un ejemplo específico que demuestre lo que para usted es el fracaso. Olvídese de las largas discusiones filosóficas que son más apropiadas para una película de Bergman que para una entrevista de trabajo. Esta pregunta ofrece al entrevistador la oportunidad de indagar sobre los errores y las malas decisiones, lo cual no es un tema feliz en lo que a usted respecta. Él busca honestidad, un análisis claro de lo que estuvo mal, una disposición a aceptar su responsabilidad, con una pequeña ganancia a su favor si es evidente que usted acepta una responsabilidad sobre aspectos que no fueron su culpa, y evidencia de que usted está decidido a cambiar lo que sea que haya causado el contratiempo o ejemplos que prueben que ese detalle ya ha sido transformado.

 ## LUZ VERDE

> *"El fracaso es no hacer el trabajo cuando tengo los medios para hacerlo. Por ejemplo, en cierta ocasión me enfrenté a un gran proyecto. Debí darme cuenta desde el principio de que no contaba con tiempo suficiente. ¡Debí pensar que cada día tenía 48 horas! Tampoco contaba con el conocimiento necesario para hacerlo bien. En lugar de pedir ayuda a algunos de mis compañeros del departamento, lo eché todo a perder. ¡Nunca volverá a ocurrirme algo así si puedo evitarlo!"*

LUZ ROJA

Una respuesta superficial y no específica que obligue al entrevistador a formular más y más preguntas de seguimiento para darse una idea de sus puntos débiles.

Siempre recuerde el motivo por el cual su interlocutor le hace esas preguntas abiertas: para hacerlo hablar con la esperanza de que usted deje ver más de lo que revelaría si él le hubiera hecho una pregunta más cerrada. Responda a dichas preguntas con claridad y de manera breve y específica, pero evite la tentación de confesar sus numerosos pecados.

VARIACIONES

- ¿Qué significa "logro" para usted?

- ¿Cómo define "desafío"?

- ¿Cuál es su concepto de "problema"?

- ¿Qué significado le da a la palabra "imposible"?

- ¿Qué significa "crecimiento" para usted?

CONSEJOS PARA CONVENCER AL ENTREVISTADOR DE QUE USTED ES UN GRAN CANDIDATO

- **HAGA SU TAREA.** Investigue tanto como pueda acerca de la empresa y cómo contribuye el puesto al cual usted aspira al logro de las metas corporativas.

- **DEMUESTRE EXPERIENCIA Y PROYECTE CON-FIANZA.** Ofrezca respuestas sólidas y utilice ejemplos concretos que sean relevantes para el puesto que usted desea.

- **DEMUESTRE SU SENCILLEZ.** Dé la impresión de que usted tiene la habilidad de alcanzar el éxito en cuanto se le presente la oportunidad. Evite dar la impresión de ser un adicto irremediable al trabajo y que persigue el éxito sin importar lo que cueste.

- **SEA FIRME PERO NO DICTATORIAL.** Cuando hable acerca de su estilo de dirección, permita que el entrevistador sepa que usted es capaz de delegar, observar el progreso de cada persona y mantener su trabajo al día.

- **HABLE ACERCA DEL CRECIMIENTO.** Dígale al entrevistador cómo creció en cada uno de los empleos que ha desempeñado y cómo cambiaron sus metas profesionales en consecuencia.

- **ADMITA SUS ERRORES.** Concéntrese en lo que ha aprendido a partir de sus errores pasados. Utilice ejemplos para demostrar cómo cambió usted a consecuencia de los mismos.

- **DEMUESTRE SUS ÉXITOS.** Asegúrese de presentarse como un profesional con una vida personal satisfactoria.

¿Por qué se especializó en teatro si estudió astrofísica?

Mientras más experiencia laboral tenga, menos importará lo que hizo en la universidad, incluso si acudió a las mejores universidades. Sin considerar lo relevantes que puedan ser los cursos particulares o las posiciones de liderazgo en actividades extracurriculares, ninguna cantidad de éxitos académicos puede sustituir la experiencia sólida del trabajo en el mundo real.

Pero si su diploma es tan nuevo que la tinta podría manchar sus dedos y su único empleo (de verano) estuvo íntimamente relacionado con ingredientes para ensaladas, entonces las preguntas de este capítulo son para usted, un candidato con poca experiencia, atrapado en un círculo vicioso: para las vacantes se requieren individuos que se hayan desempeñado en puestos semejantes, entonces, ¿cómo puede usted adquirir experiencia si no puede obtener un empleo?

Así que regresemos al pensamiento creativo. En su currículum y en sus entrevistas, usted intentará acrecentar su experiencia, sin importar lo pequeña que sea, pero evitará la tentación de transformar un empleo de verano vendiendo en una tienda de ropa en lo que podría parecer una vicepresidencia de división.

¿Cómo lo logrará? Concentrándose en lo que el entrevistador desea escuchar y asegurándose de decírselo. Usted desea presentarse como una persona estable que, además de obtener calificaciones aceptables, demuestra características deseables como liderazgo, trabajo en equipo, capacidad de redacción y comunicación por medio de actividades extracurriculares, prácticas profesionales y/o experiencia en trabajos temporales. Si usted no fue miembro de muchos equipos escolares oficiales hable acerca de otras actividades que haya realizado durante sus estudios universitarios. ¿Tuvo un empleo de tiempo parcial? ¿Fue tutor de otros estudiantes? ¿Trabajó para obtener créditos adicionales en alguna materia?

No sólo liste sus calificaciones en su currículum; incluya también los cursos adicionales que tomó. Un candidato viable se asegurará de que su currículum esté estructurado de tal manera que los cursos estudiados se relacionen tanto como sea posible con los requerimientos del puesto.

Lo que ha hecho, cualquier cosa que sea, deberá demostrar un patrón que se relacione, al menos en parte, con el empleo disponible. Lo que hizo durante los veranos, a menos que se trate de prácticas profesionales relacionadas con la vacante solicitada o de un empleo temporal, es irrelevante. Elija las especialidades, los cursos y las actividades sobresalientes; la mayoría de los entrevistadores querrán conocer las razones por las cuales usted eligió esas opciones en particular. Su respuesta revelará hacia dónde se dirigen sus intereses verdaderos... sin importar lo perfecta que sea la redacción de su objetivo en su currículum.

¿EN QUÉ TIPO DE ACTIVIDADES EXTRACURRICULARES SE HA INVOLUCRADO?

 ## ¿QUÉ QUIEREN ESCUCHAR?

La mayoría de los entrevistadores buscan candidatos que tengan iniciativa, no sólo alguien que haga lo suficiente. Esperan entusiasmo, confianza, energía, confiabilidad, honestidad, un individuo que resuelva problemas, un jugador de equipo, alguien que desee trabajar arduamente para alcanzar metas complicadas pero valiosas.

 ## LUZ VERDE

Actividades que se relacionen con el empleo/industria; por ejemplo, un editor del periódico universitario que solicite un puesto en una editorial que publique periódicos, libros o revistas.

Actividades que demuestren un equilibrio en los diferentes aspectos de su vida. Quizás usted sea un candidato ideal para una amplia variedad de empleos si ha practicado uno o más deportes y ha sido miembro de un club cultural, como de ajedrez o de teatro, o de un club social y además ha tenido un empleo temporal, a diferencia de una persona que sólo se ha enfocado a un deporte o causa, sin importar cuán ilustres sean sus logros deportivos o de otra índole.

Si usted es capaz de demostrar habilidad para atender múltiples prioridades y si tiene la destreza para administrar el tiempo; no olvidemos aquí los cursos y quizá sus empleos temporales. Ésta es una buena respuesta:

"Me hubiera gustado contar con más tiempo para escribir para el periódico escolar. Cuando no estudiaba, tenía que trabajar para pagar la escuela. Sin embargo, aprendí más cosas en los empleos que desempeñé que la mayor parte de la gente después de poner en práctica su carrera durante un tiempo, como trabajar con otras personas y administrar mi tiempo con eficacia".

 ## LUZ ROJA

Si usted ha invertido una incalculable cantidad de tiempo en hacer cosas en el salón de clases pero su promedio indica que se ha concentrado muy poco en el curso. Cualquier baja calificación le indicará que debe esperar una serie de preguntas de seguimiento que lo obligarán a explicar por qué no obtuvo calificaciones más altas.

Si tal parece que usted ha intentado todas las actividades al menos una vez y demuestran que no tiene una dirección clara, la mayoría de los entrevistadores asumirán que usted no cambiará en el trabajo.

Nunca presuma que una broma es una buena respuesta: "Bueno, señor Rodríguez, nunca hice mucho más que beber cerveza los fines de semana". Quizá yo aprecie más las buenas bromas que otros tipos, pero una entrevista no es el lugar ni el momento correcto para hacerse el cómico. Incluso si usted es simpático, es probable que la mayoría de los entrevistadores cuestionen el sentido común de cualquiera que crea que solicitar un empleo es una oportunidad de ensayar una rutina de comedia.

VARIACIONES

- ¿Por qué eligió esas actividades?

- ¿Cuáles disfrutó más y por qué?

- ¿Cuáles le parecieron menos placenteras y por qué?

- ¿Cuáles lamenta no haber elegido y por qué?

El entrevistador que formula este tipo de preguntas intenta descubrir cómo piensa usted, cómo toma decisiones y cuán flexible o inflexible parece ser según dichas decisiones.

 ¿POR QUÉ ELIGIÓ ESA UNIVERSIDAD? ¿POR QUÉ ELIGIÓ ESA CARRERA? ¿POR QUÉ SE DECIDIÓ POR ESA ESPECIALIDAD? ¿CUÁLES CURSOS DISFRUTÓ MÁS? ¿CUÁLES LE GUSTARON MENOS?

 ¿QUÉ QUIEREN ESCUCHAR?

Algunos entrevistadores pueden sustituir esta serie de preguntas por el siempre funcional: "Hábleme acerca de usted". Es probable que su experiencia universitaria sea una buena medida para el término "usted".

Si usted estudió una carrera en humanidades, hable acerca de las habilidades que desarrolló en algunos de sus cursos: redacción, investigación y análisis, debate, lenguaje y comunicación. Si asumimos que usted tomó cursos relacionados con la vacante disponible, enfóquese en aquellos orientados a su carrera.

No se sienta en desventaja si se especializó en temas no técnicos o no profesionales. La mayoría de los entrevistadores, incluso aquellos que ofrecen empleos técnicos, están preparados para invertir gran parte de su tiempo en escuchar a los candidatos pronunciar un discurso interminable sobre sus estudios en historia, inglés o literatura para después explicar cómo su formación universitaria los preparó para un puesto como ejecutivo en ventas, mercadotecnia o dirección.

¿Cómo fue su proceso de pensamiento? ¿Eligió usted una carrera porque era la más fácil? ¿Porque tenía una relevancia específica para sus intereses, según se demuestra en sus actividades consistentes de voluntariado o trabajo? ¿Porque usted analizó el mercado laboral y decidió tomar cursos para prepararse para una carrera o industria en particular? ¿Sólo porque estaba en la lista de opciones?

¿Cuáles fueron las otras profesiones que usted consideró? ¿Y por qué eligió una y eliminó las demás?

Si usted aspira a un empleo muy técnico, como ingeniería, ciencias, programación y similares, el entrevistador puede esperar, lo cual es razonable, que usted se haya especializado en ingeniería, química o computación, y que sus especialidades estén relacionadas con la disciplina que corresponda. Hago una excepción a favor de mi amigo Andy, quien cursó astrofísica como especialidad principal y teatro como especialidad secundaria. Es probable que el hecho de demostrar un interés particular por la química, la computación o la ingeniería mecánica desde la preparatoria le abone puntos adicionales.

 ## LUZ VERDE

Hable acerca de las habilidades que ha desarrollado, en especial en cursos que no necesariamente le hayan gustado o deseado tomar. Me gusta escuchar a un candidato que haya obtenido buenos resultados en un curso que en realidad no le interesaba. Yo invierto mucho tiempo en actividades que no me interesan y que, sin embargo, debo hacer en beneficio de mis destrezas. Cuando entrevisto candidatos, le garantizo que busco a alguien con las mismas características.

Cuando hable acerca de cursos particulares, elabore respuestas que se enfoquen en el tema, no en la carga de trabajo o en la personalidad del profesor. El hecho de hablar de conflictos pasados con una figura de autoridad podría introducir un elemento negativo en su solicitud actual, y quejarse del exceso de trabajo no es la mejor manera de impresionar a un jefe potencial.

Los entrevistadores no son amables con los recién graduados que pretenden comenzar con un salario más alto que el de ellos, de manera que reconozca que, a pesar de su historial académico de excelencia, es probable que tenga mucho menos conocimientos laborales que el veterano del departamento de correspondencia. A veces, la humildad es una característica atractiva, en especial cuando es oportuna: "Sé que este puesto implica algunas tareas no muy agradables, pero estoy seguro de que toda la gente que lo ha ocupado ha aprendido mucho al hacerlas".

 ## LUZ ROJA

Culpar a un profesor, aunque sea de manera indirecta, por una mala calificación o experiencia, hará dudar al entrevistador: ¿Tiene usted problemas con las figuras de autoridad?

Las quejas por la carga de trabajo en los cursos, semestres o años. Los entrevistadores buscan personas diligentes.

Hay entrevistadores por allí, yo entre ellos, que se regodean en explicar a minucioso detalle los peores aspectos, los más aburridos y fastidiosos del empleo. Un candidato exitoso no permitirá que lo induzcan a expresar alguna reacción negativa. ¡Ni siquiera levantará una ceja cuando se discutan los "detalles fastidiosos"!

VARIACIONES

 ¿Por qué cambió de carrera o profesión? ¿Qué razón tuvo para cambiar de especialidad? ¿Por qué desertó de ese curso? ¿Por qué se inscribió a esa materia?

¿QUÉ QUIEREN ESCUCHAR?

Una vez más, ¿cuál fue su proceso de pensamiento? El cambio puede considerarse positivo si usted lo explica y justifica bien; a menos que, desde luego, su razón haya sido eliminar una carrera difícil y sustituirla por otra más fácil, una artimaña para coincidir en más clases con una novia o alguna otra razón igual de superflua.

Si usted cambió de carrera, incluso en más de una ocasión, debe estar dispuesto a admitir que no tenía todas las respuestas a los 19 años de edad. No se preocupe, su interlocutor tampoco las tenía. Sospecho que muchos entrevistadores encontrarán refrescante y realista tanta honestidad. Después de todo, ¿cuántos estudiantes del último año de bachillerato saben que se convertirán en contadores, gerentes de hospitales, administradores, jefes de plataforma de carga o, para el caso, entrevistadores? Pero debe estar preparado para demostrar cómo sus demás estudios han contribuido a hacer de usted el mejor candidato para ese puesto.

¿POR QUÉ SOLICITA UN EMPLEO EN UN ÁREA DISTINTA A SU CARRERA?

¿QUÉ QUIEREN ESCUCHAR?

La vida no siempre se desarrolla conforme a nuestros planes. En especial cuando somos jóvenes, los cambios de dirección son comunes. Es bastante difícil sobrevivir a los cambios sin analizarlos hasta el fastidio, pero cuando el entrevistador pregunta acerca de uno de sus cambios de 180 grados, usted debe estar listo para responder.

Si solicita un puesto de gerencia de ventas al menudeo y se graduó en geología, es muy probable que le hagan esta pregunta; tranquilo, no es la primera vez que este empleador se encuentra con alguien como usted. En el mercado laboral actual, los cambios de carrera son comunes y no hay nada de peculiar en incursionar en un campo distinto al de la profesión que estudió.

Entonces, ¿qué debe hacer? Usted sabe que ha despertado el interés del empleador lo suficiente como para obtener una entrevista, ¿cierto? Así que relájese y responda la pregunta. Sea breve y positivo: usted reevaluó sus metas profesionales. Disfruta del trato con el cliente, la naturaleza competitiva de las ventas y las variadas responsabilidades gerenciales que se requieren en las ventas al menudeo, de manera que decidió que ésa es la carrera que seguirá. Y, ¡claro!, quizá con una sonrisa de vergüenza, agregue que sólo hay 142 nuevas plazas en geología, ¡y que usted no obtuvo ninguna!

Después tal vez sea buena idea hacer una pausa y preguntar: "¿He respondido a su pregunta?" Déle oportunidad al entrevistador de expresar sus preocupaciones acerca de su preparación. Si algo le preocupa, prepárese para explicar cómo aplica las habilidades de la carrera que estudió al campo correspondiente al empleo que usted pretende. Puede utilizar la misma estrategia con su experiencia laboral anterior. ¿Existen detalles particulares que un geólogo deba aprender y que puedan aprovecharse en una gerencia de ventas al menudeo? ¿Habilidades especiales? Yo lo ignoro, pero usted debe estar dispuesto a hablar al respecto.

Sólo porque muchos estudiantes que se especializan en áreas más esotéricas estén, por definición, menos preparados para algunos empleos específicos, y sólo porque mucha gente ahora cambia cada vez más de empleo, carrera e incluso industria, no significa que muchos entrevistadores no lo obliguen a usted a venderles la idea de que se verán beneficiados con su aprendizaje.

 SI MAÑANA COMENZARA SUS ESTUDIOS UNIVERSITARIOS, ¿A CUÁLES CURSOS SE INSCRIBIRÍA?

 ¿QUÉ QUIEREN ESCUCHAR?

Prepárese para hablar a detalle de lo que hubiera cambiado en su selección de cursos que lo convirtiera en un mejor candidato para ese puesto. ¿Habría tomado más cursos de mercadotecnia, un diplomado de contabilidad, un seminario de estadística? Al mismo tiempo, no tema admitir que le tomó un poco de tiempo elegir los cursos adecuados.

Un poco de honestidad está bien, pero evite ofrecer una disertación sobre un cambio total de profesión, especialidad o color de cabello.

 LUZ VERDE

Considere esta pregunta como una buena oportunidad para explicar que los cursos que no guardan relación alguna con esta carrera o con cualquier otra del mundo real fueron muy valiosos para su desarrollo.

LUZ ROJA

No diga que iría a la universidad para tener más citas.

No responda:"Los mismos cursos pero esta vez los aprobaría".

No conteste de manera que haga pensar que no comprendió el propósito de la pregunta. Se le da la oportunidad de demostrar que sabe en qué consiste el empleo y, debido a esa comprensión, declare que hubiera tomado más cursos relacionados con él y no ese curso de literatura china del siglo XVII, tan poco útil.

 ¿QUÉ APRENDIÓ DE LAS PRÁCTICAS PROFESIONALES QUE CITA EN SU CURRÍCULUM?

 ¿QUÉ QUIEREN ESCUCHAR?

Ninguna empresa cree en realidad que usted alcanzará la cima del éxito apenas se gradúe de la universidad o de la especialidad. La capacitación y la experiencia serán necesarias para convertirlo en una persona productiva, por lo cual, como candidato con poca experiencia, puede esperar que un entrevistador lo someta un poco a prueba para determinar su capacidad de entrenamiento.

Haga énfasis en cómo la experiencia de realizar prácticas en el mundo real complementó su aprendizaje académico, pero nunca pretenda que la universidad fue donde usted descubrió el "secreto de la vida". Ningún entrevistador reaccionará de manera favorable hacia una persona que actúa como si ya lo supiera todo.

 LUZ VERDE

Si puede demostrar cómo las prácticas profesionales complementaron su aprendizaje académico.

Prácticas que se vinculan con su nuevo empleo o carrera.

Respuestas bien pensadas que demuestran intereses profesionales consistentes.

Buenas recomendaciones de supervisores de prácticas profesionales.

 ## LUZ ROJA

Si usted en verdad cree que la universidad es donde descubrió el "secreto de la vida" y peor aún, si se lo dice al entrevistador.

No realizó prácticas profesionales en un campo en el cual son fundamentales.

Prácticas profesionales en un campo no relacionado con la vacante, en especial si se vincula con sus cursos y actividades, lo cual indica que su verdadera área de interés es otra.

Una recomendación estándar o ninguna recomendación de su supervisor de prácticas profesionales; o bien, una reacción negativa por parte de usted hacia su valor. Incluso si sus prácticas consistieron en desarrollar habilidades para preparar un café, usted nunca debe permitirse un detalle negativo en la entrevista.

VARIACIONES

- ¿Por qué no aparecen prácticas profesionales en su currículum?

- ¿Repetiría usted cada una de sus prácticas profesionales?

- ¿Por qué eligió esas prácticas profesionales en particular?

- ¿Por qué sintió la necesidad de hacer prácticas profesionales?

CONSEJOS ESPECIALES PARA UNIVERSITARIOS RECIÉN GRADUADOS

- No tema decir que necesitará ayuda y, cuando así sea, asegúrese de que el entrevistador sepa que la ha solicitado. No son muchas las empresas que busquen o esperen encontrar una persona de 22 años de edad que lo sepa todo. Si usted es alguien de 22 años que lo sabe todo, no se lo diga a nadie.

- Admita que no tiene todas las respuestas y comience muchas de sus respuestas con: "Yo creo que..." o "Por lo que sé de la industria...".

- No se muestre quisquilloso ante la idea de emprender el aprendizaje difícil. Diga: "Sé que en este puesto hay tareas no muy agradables, pero estoy seguro de que toda la gente que lo ha ocupado antes que yo ha aprendido mucho al hacerlas".

- Si le ha tomado algo de tiempo descubrir la dirección que desea darle a su carrera, admítalo. Nadie tiene todas las respuestas a los 18 o 19 años de edad. La mayoría de los entrevistadores no se sorprenderán ante el hecho de que usted haya cambiado de profesión antes de graduarse. Demuestre cómo sus otros estudios han contribuido a convertirlo en el mejor candidato.

- No responda preguntas acerca de quién pago sus estudios o sobre los enormes préstamos universitarios que quizás deba pagar. Siga adelante y finja que recibió una beca estudiantil completa o que fue lo bastante diligente como para trabajar todo el tiempo que cursó la universidad, si lo desea.

¿Tiene usted experiencia?

No deberá sorprenderle que la mayoría de las preguntas en entrevista se enfoquen en su experiencia laboral previa. Usted ya se despidió de su *alma mater*, la década pasada o la semana pasada, y entonces, ¿qué ha hecho en el mundo real? Muchos empleadores piensan que su pasado es el prólogo de su desempeño futuro. Si usted tiene algún profundo y oscuro defecto de carácter, ¡ellos creen que ya debió salir a la superficie!

Así que prepárese para ser cuestionado a detalle sobre cada empleo que ha tenido, en especial los últimos dos o tres. Permanezca positivo a lo largo del proceso.

Veamos algunas de las preguntas que es probable que deba enfrentar.

 CUÉNTEME ACERCA DE SUS TRES ÚLTIMOS PUESTOS. EXPLIQUE QUÉ HACÍA, CÓMO LO HACÍA, LAS PERSONAS PARA QUIENES TRABAJÓ Y LA GENTE QUE TRABAJÓ CON USTED.

¿QUÉ QUIEREN ESCUCHAR?

¡Guau! Ésta es una estrategia de ametralladora, en parte diseñada para ver cómo organiza usted lo que puede ser mucha información en un panorama breve de tres, cinco, diez o más años de experiencia. Los entrevistadores que formulan este tipo de preguntas intentan confirmar su currículum, encontrar inconsistencias, crear un mapa para las preguntas más detalladas que seguirán y evaluar cómo configura usted su respuesta de manera que sus habilidades y experiencia se relacionen con los requerimientos del empleo disponible.

 ## LUZ VERDE

Si usted puede incluir la experiencia y habilidades relacionadas con la vacante en una respuesta breve, coherente y positiva.

Si usted está consciente de la importancia de relacionar su experiencia y habilidades con los requerimientos del puesto disponible.

Un claro patrón ascendente: más responsabilidades, autoridad, dinero, subordinados, nivel de destreza, etcétera.

 ## LUZ ROJA

Hacerle al entrevistador mi pregunta menos favorita: "¿Qué es lo que usted desea saber?" Respuesta: ¡Lo que le pregunté!

Cualquier respuesta que sea inconsistente con los hechos de su currículum, como fechas, responsabilidades o cargos. Usted pensará que nadie se referirá a un empleo que no aparece en su currículum, pero sucede todo el tiempo. Y si desea que le dé una clave para saber que se encuentra en un problema similar, así es como un buen entrevistador lo hará sudar: "Su currículum dice que usted trabajaba en la empresa X en el 2002, pero acaba de decirme que trabajaba en la empresa Y. ¿Cómo explica eso?".

Admito haber participado en la entrevista más estúpida jamás realizada por una persona inteligente y con razonable experiencia. Invertí los primeros años, después de graduarme de Princeton, en intentar convertirme en escritor de tiempo completo sin morirme de hambre. La única manera de lograrlo fue realizar una serie de trabajos de medio tiempo o eventuales, con frecuencia dos o tres a la vez, mientras producía con frenesí historias cortas, artículos para revistas y periódicos, obras de teatro, guiones y, con el tiempo, libros, algunos de los cuales sí me pagaron.

¿Cuántos empleos distintos tuve? Docenas. Algunos duraban un día, otros duraban meses y uno duró casi dos años, pero el único que aparecía en mi currículum era un empleo de dos años en una asociación comercial porque mi supervisor accedió a respaldar mi mentira blanca y permitirme afirmar que había sido de tiempo completo durante cinco años.

Después de diez minutos de haberme sentado frente al entrevistador en una importante editorial de revistas, hablé con ligereza acerca de lo que había aprendido en dos o tres de esos otros empleos. Sí, aquellos que oficialmente no existían. Un par de minutos después que el entrevistador, me di cuenta de lo que había hecho... Ambos supimos al mismo tiempo que yo no sería el elegido para ese empleo ni para cualquier otro que hubiera en esa empresa. Aunque nos despedimos amigablemente, me sentí como un pequeño *poodle* en un charco de lodo.

Así que no lance su pretensión con detalles de empleos, responsabilidades y habilidades que no estén indicados en su currículum.

De ninguna manera se queje de sus jefes, subordinados o colegas. Muy pocos entrevistadores se impresionarán con un individuo que intente culpar de sus fallas a cualquier otra persona. Aun cuando usted no haya sido el culpable, echarle la culpa a alguien más no es una conducta positiva.

Los movimientos laterales dentro de una empresa suelen ser motivo de cuestionamiento (¿por qué no lo promovieron?), y más aún las ocasiones en las cuales descendió de rango. Le recomiendo tener preparada una buena explicación.

 ¿CUÁL FUE SU EMPLEO FAVORITO Y POR QUÉ?

 ¿QUÉ QUIEREN ESCUCHAR?

La descripción de un empleo similar al puesto vacante.

 LUZ VERDE

Reconocer que su empleo favorito difiere de la vacante en ciertos detalles que tal vez sea importante. Puede recuperar puntaje si explica por qué y cómo ha cambiado, de manera que el empleo actual sea mucho más apropiado para usted en este momento.

 LUZ ROJA

Cualquier respuesta que revele el tipo de empleo que en verdad desea y que, como es obvio, no sea el que le ofrecen.

"Mi empleo favorito fue en Radio WNSD. Era muy libre e informal y había poca supervisión, lo cual me encantaba. Tenía la libertad de diseñar mis

> *propios programas con muy poca o ninguna interferencia y sólo tenía que invertir 20 horas por semana para hacer el trabajo, así que dedicaba el resto del tiempo a escribir o a desarrollar ideas creativas".*

La anterior parece una respuesta razonable... si usted no solicitara un empleo como asistente de cuatro ejecutivos de alto nivel, que siempre están con el tiempo encima y requieren de diez horas de trabajo adicional por semana, en una muy estructurada y rígida empresa conservadora.

El hecho de que en su empleo anterior hubiera tenido que viajar un poco y en el nuevo más, no representaría un problema, como tampoco lo sería que el puesto anterior se compusiera de tareas más variadas y el presente estuviera más enfocado. Lo que sí sería un problema es que su respuesta *no tomara en cuenta lo que implicara el nuevo empleo*, lo cual revelaría la falta de investigación previa a la entrevista o la incapacidad de dilucidar la importancia de vincular su experiencia con las necesidades de los entrevistadores.

 CUÉNTEME ACERCA DEL MEJOR O PEOR JEFE QUE HAYA TENIDO

 ¿QUÉ QUIEREN ESCUCHAR?

¡Qué pregunta tan complicada! Si le solicitan hablar acerca del mejor jefe que ha tenido, podría intentar describir a una persona similar al gerente contratante que está sentado al otro lado del escritorio, frente a usted.

Como norma, la mayoría de las empresas desean escuchar que usted disfrutó mucho trabajar para una persona interesada en ayudarlo a aprender y a crecer, comprometida en la supervisión de su progreso y capaz de otorgarle el crédito correspondiente cuando y donde fuera meritorio. ¡Espero que usted haya tenido oportunidad de trabajar para alguien así!

Ahora, ¿qué debe decir acerca de su peor jefe? No se enrede en acusaciones maliciosas que sólo pueden servir para introducir dudas acerca de su competencia o habilidad para relacionarse con otras personas.

Por ejemplo, si usted habla acerca del favoritismo, el entrevistador podría preguntarse por qué su jefe prefirió a otras personas y no a usted. Si se queja de un jefe que se entrometía en sus asuntos, cabría la duda de si ello se debía a que no se puede confiar en que usted realice bien una tarea, que la realice conforme al presupuesto o a tiempo, o a las tres opciones.

 ## LUZ VERDE

Si comprende que esta pregunta le ofrece la oportunidad de hacer hincapié en sus propias experiencias, logros y cualidades. En cualquier parte hay jefes malos, pero un candidato inteligente deberá ser capaz de colocar las fallas de un supervisor en un contexto positivo. Si usted dice que su jefe era "poco compartido con su conocimiento", acentúa su afán de aprender. En el mismo tenor, decir que un gerente "no se involucraba" podría indicar su deseo por trabajar dentro de un equipo cohesivo. Sólo prepárese y practique sus respuestas con antelación.

 ## LUZ ROJA

Mostrarse totalmente con una actitud negativa.

Cualquier intento de culpar al jefe por los errores que usted haya cometido.

"Usted sabe, en verdad tuve que esforzarme mucho para aprender a vender especieros en el Pacífico Sur y no me ayudó el hecho de que mi jefa nunca vendió nada a nadie. Ella parecía pensar que todo lo que yo hacía estaba mal y con frecuencia me sacaba de mis actividades para hacerme 'evaluaciones'. Perdí mucho tiempo en llenar los reportes innecesarios que me pedía y en acudir a juntas para discutir por qué yo no alcanzaba mi cuota, que era ilógica, y que nunca tendría oportunidad de alcanzar. Sólo espero que mi nuevo jefe me deje en paz".

 EN RETROSPECTIVA, ¿HAY ALGO QUE USTED PUDO HACER PARA MEJORAR SUS RELACIONES CON ESE SUPERVISOR?

 LUZ VERDE

Desde luego que lo hay (presumimos que usted es lo bastante inteligente para sujetarse al salvavidas que el entrevistador acaba de arrojarle por la borda). La experiencia laboral que adquirió desde entonces le ha mostrado cómo aceptar mejor las críticas. Ahora que ya comprende las presiones a las que están sometidos los supervisores, puede anticiparse a sus necesidades con mayor precisión. Utilice esta oportunidad para demostrar su experiencia, percepción y madurez.

 LUZ ROJA

"No, no con ese cretino que se regodeaba de nuestra miseria. Me alegro de haberle puesto azúcar en el tanque de la gasolina".

¿CUÁLES FUERON LOS LOGROS MÁS SOBRESALIENTES EN SU ÚLTIMO EMPLEO? ¿EN SU CARRERA?

 ¿QUÉ QUIEREN ESCUCHAR?

Concéntrese en sus logros más recientes, en su puesto actual o en el empleo anterior a éste, pero asegúrese de que sean relevantes para el trabajo que solicita.

Por ejemplo, una amiga mía que había sido editora durante años respondió esta pregunta con un recuento de las épocas en las cuales redactaba frases publicitarias para el departamento de mercadotecnia. Ella intentaba cambiar de carrera, así que decidió cambiar la atención del entrevistador de su experiencia como editora a sus logros como redactora publicitaria en mercadotecnia.

También es una medida inteligente pensar por qué pudo usted alcanzar esos logros en su carrera. Por ejemplo:

> *"En verdad me detenía a escuchar lo que los clientes deseaban en lugar de sólo intentar venderles".*

> *"Me di cuenta de que necesitaba saber más acerca de las corporaciones transnacionales, de manera que me inscribí a un seminario sobre impuestos".*

Este tipo de respuestas sugiere que usted planea con seriedad su estrategia para alcanzar sus metas en lugar de avanzar a ciegas hacia una dirección común. Al dejarle saber que usted pone mucha atención al evaluar sus carencias con regularidad, demuestra que es capaz de encontrar los medios para superarlas.

LUZ ROJA

Alardear de logros que no están relacionados con los requerimientos de ese empleo.

Citar, con orgullo o de cualquier otra manera, logros frívolos, insignificantes, menores o dudosos:

> *"Por fin me las arreglé para levantarme de la cama cada mañana y llegar a tiempo al trabajo".*

> *"Logré mecanografiar toda la correspondencia de mi jefe la misma semana que me la entregaron, incluso si tenía que trabajar en ello todo el día".*

 ¿CUÁL FUE SU PEOR EQUIVOCACIÓN EN SU CARRERA? ¿QUÉ HA HECHO PARA NO VOLVER A COMETER UN ERROR SIMILAR?

 ¿QUÉ QUIEREN ESCUCHAR?

Antes de comenzar a confesar sus pecados, ¡recuerde que no está ante un sacerdote ni en un confesionario! En esta situación resultaría tonto pronunciar un detallado discurso de todos sus defectos, errores y debilidades, pero sería igual de tonto pretender que usted es perfecto y que nunca ha experimentado el fracaso en el transcurso de su carrera, educación o vida.

La mejor manera de enfrentar esta pregunta es admitir una debilidad o falla, ¡que sea buena!, y después hablar acerca de los pasos que ha dado o dio para asegurarse de nunca volver a fallar de esa manera.

¿Qué hace que un error no sea tan malo o que una debilidad parezca aceptable? ¡Buena pregunta! Elija una deficiencia que pueda ser considerada una ventaja bajo una luz distinta. Por ejemplo:

- ◉ Usted tiende a adjudicarse demasiada responsabilidad; intenta resolver este problema delegando más.

- ◉ Usted es impaciente con los retrasos, de manera que intenta comprender mejor cada paso del proceso que el producto debe atravesar con el fin de prever las posibles demoras.

- ◉ Usted está consciente de que es adicto al trabajo y busca remediar su condición leyendo obras sobre administración del tiempo.

Intente pensar en un defecto que haya detectado al principio de su carrera o en uno que no esté relacionado con el empleo que usted desempeñará para su nuevo empleador.

Nunca admita alguna falla personal que se refiera al desempeño laboral, como desidia, pereza o falta de concentración.

 ## LUZ VERDE

Reconocer una falla de la cual resulte claro que usted no es el único responsable. La estrategia de un candidato exitoso para anotarse más puntos es hacer evidente que no fue del todo responsable de un error admitido pero que está dispuesto a cargar con la culpa.

Si debe citar un error relacionado con el trabajo, prepare ejemplos concretos para ilustrar las lecciones aprendidas y que impedirán que vuelva a caer en la misma falta.

LUZ ROJA

Asegurar que usted nunca se ha equivocado.

Citar un error no relacionado con el trabajo.

Su incapacidad de demostrar que está preparado para aceptar la responsabilidad por cualquier error mencionado.

No declare: "Esto nunca volverá a suceder". Ésta es una percepción irreal que podría causar que se cuestione su juicio.

Nunca confiese una grave debilidad laboral: "Siempre he odiado a mis jefes, a cada uno de ellos, ¡pero creo que usted me simpatizará!".

VARIACIONES

- ¿Cuál es su mayor debilidad?

- ¿Cuál cree que ha sido la peor decisión que tomó?

- ¿Cuál considera que es el mayor problema que no ha podido resolver hasta el momento?

Un buen entrevistador, con base en preguntas como las anteriores, lo pondrá a prueba y buscará detalles y más detalles. Si, por ejemplo, usted dice que su mayor debilidad es el temor a delegar porque siempre cree que puede hacerlo todo mejor y más pronto, quizá le pregunte: "Cuénteme acerca de la última vez que debió delegar y no lo hizo. ¿Qué sucedió? ¿Lo haría de nuevo así? ¿Lo haría distinto ahora?".

Ese tipo de pruebas puede ayudar a evaluar su carácter: cómo reacciona usted ante el estrés, cómo se comporta bajo presión, cómo maneja el fracaso y el éxito, cuáles son sus medidas de éxito o de fracaso y cuán dispuesto está a asumir responsabilidades, en especial por decisiones o resultados que no fueron culpa suya.

 ## ¿TUVO PERSONAS A SU CARGO EN CUALQUIERA DE LOS PUESTOS QUE OCUPÓ?

 ## ¿QUÉ QUIEREN ESCUCHAR?

Ascender en la mayoría de las empresas, y en muchas carreras, significa tener gente a su cargo. Si usted solicita un puesto de supervisión que por lo regular tiende a un puesto gerencial, se intentará probar su potencial en esa área, así que lo mejor es responder de manera positiva, incluso si usted nunca ha tenido a nadie a su cargo en el trabajo. Los candidatos con experiencia en el manejo de personal se consideran más maduros, tanto si sus subordinados los consideran buenos líderes como si no es así. Lo importante es que se hayan ganado la confianza de sus jefes inmediatos.

Si éste es su caso, asegúrese de proporcionar detalles específicos acerca del número de personas que supervisó y el tipo de capacidades laborales de éstas.

¿Qué ocurre si nunca ha tenido gente que le reporte? Quizá deba sustituir la palabra "liderazgo" por "manejo" y hablar acerca de los clubes y otras asociaciones en las cuales haya manejado miembros o voluntarios, o de cuando haya generado consenso dentro de un grupo. Si esas experiencias lo han convencido de que tiene lo necesario para ser un buen supervisor, menciónelo.

 ## LUZ VERDE

No sólo experiencia con gente a su cargo sino manejar el mismo número de personas o un poco más en un departamento o división de tamaño similar.

Una apreciación positiva de las diversas habilidades necesarias para manejar y motivar a diferentes tipos de empleados, en especial si usted nunca ha tenido a nadie a su cargo en el trabajo.

 ## LUZ ROJA

Falta de experiencia en un empleo que requiere tener subordinados. (Recuerde que una luz roja se refiere a respuestas que harán que el entrevistador se detenga y reflexione, no necesariamente una que lo elimine en forma automática. Si las empresas sólo contrataran a quienes han tenido subordinados, ¿cómo desarrollarían a sus propias estrellas?)

Cualquier expresión negativa sobre la experiencia de supervisión de personal. ("Sí, tuve a mi cargo a dos personas en mi último empleo, ¡y déjeme decirle que ambas recibían sueldos demasiado altos por hacer nada!")

No dé la impresión de que minimiza los requerimientos para ser jefe ni de que piensa que sólo se trata de un ascenso de posición y de sueldo; no sugiera que no está consciente de las presiones de la responsabilidad creciente ni la necesidad de adquirir nuevas capacidades, etc. Muéstrese dispuesto a esforzarse por desarrollar otras habilidades.

 ## DÍGAME EL TIPO DE PERSONAS CON QUIENES LE CUESTA TRABAJO RELACIONARSE

 ## ¿QUÉ QUIEREN ESCUCHAR?

Éste podría ser un terreno minado para un candidato que responda demasiado pronto, como "gente muy demandante o brusca", sólo para descubrir después que el entrevistador tiene fama de rudo.

LUZ VERDE

Una persona a quien entrevisté me dio una respuesta que creo que es adecuada para esta pregunta:

> *"Comenté este problema con mi jefe justo hace unos días. Me dijo que soy muy impaciente con las personas que trabajan con lentitud, que el mundo está lleno de personas mediocres y que yo espero que todas sean excelentes. Por tanto, creo que tengo problemas con las personas mediocres cuyo desempeño es bajo. Quizá nunca pueda aceptar el trabajo deficiente, pero estoy en el proceso de aprender a ser más paciente".*

¿En verdad habló al respecto "justo hace unos días"? ¿En realidad ocurrió esa conversación? Es probable que no pero, ¿a quién le importa? ¡Es un buen detalle! Y la respuesta también funciona. ¿No debería cualquier candidato ser impaciente con las personas mediocres? Éste incluso habló acerca de lo que hace para resolver su "problema". Breve, agradable, ¡y muy apropiado!

 LUZ ROJA

Una respuesta general y vaga que indique tanto una falta de análisis como una carencia de autoconocimiento. Desde luego, usted no desea responder a esta pregunta, razón por la cual la formularon. Pero debe dar por hecho que es muy probable que ésta y sus similares, como cuál es su peor debilidad, su peor jefe o su mayor error, formen parte de la agenda.

VARIACIÓN

 ¿Qué tipo de personas tienen problemas para relacionarse con usted?

¿QUÉ QUIEREN ESCUCHAR?

Si usted dice "ninguno", el entrevistador asumirá que usted es evasivo, estúpido o ambas cosas, así que tenga lista una respuesta. Sugiero pensar en una anécdota, una historia corta que, suavizada con humor, explique las razones por las cuales una persona no simpatizó con usted.

Un amigo mío recordó un episodio en su primer empleo. Recién egresado de la universidad, él era la primera contratación en un departamento en seis años. Deseoso de triunfar, mi amigo se lanzó a la conquista de sus ambiciones. Desde el primer día trabajó al doble de velocidad que sus compañeros más veteranos quienes, no hace falta decirlo, se enojaron con él. Su respuesta fue muy adecuada y difícil de verificar, lo cual fue una jugada excelente.

 A SU JUICIO, ¿QUIÉNES SON NUESTROS DOS O TRES COMPETIDORES PRINCIPALES?

 ¿QUÉ QUIEREN ESCUCHAR?

Esta pregunta no corresponde a este grupo, pero a algunos entrevistadores les gusta formularla, o alguna similar, al inicio del proceso. De manera expedita y dolorosa revelará la profundidad o ligereza de su investigación previa a la entrevista. Si es claro que usted conoce el lugar de la empresa en la industria y puede hablar acerca de sus productos de manera adecuada e incluso inteligente, sus fortalezas y debilidades en comparación con la competencia, el estado de la industria, etcétera, usted es un candidato serio. Está garantizado. Su respuesta no dice algo de sus calificaciones particulares para el trabajo, pero si está calificado, este despliegue de conocimientos bien puede representar esa ventaja adicional que lo separará de otros candidatos calificados, incluso de aquellos un poco mejor calificados.

A pesar de que un montón de balbuceos, tartamudeos o mordidas de uñas junto con una evidente evasión a la pregunta quizá no signifique su eliminación inmediata, yo lo consideraría una mala nota.

VARIACIONES

- ¿Cuál es nuestra mejor ventaja sobre nuestra competencia?

- ¿Y nuestra mayor desventaja?

- ¿Cuál de nuestros productos cree usted que tiene el mejor potencial de crecimiento?

- ¿Cuál cree usted que es el mayor desafío que enfrenta nuestra empresa? ¿Y nuestra industria?

 AHORA HABLEMOS DE VERDAD SOBRE USTED

En el mundo de los negocios, el estilo tiene muy poca relación con su vestimenta, a pesar de que en algunas compañías, y en ciertos puestos, el guardarropa "adecuado" puede ser un elemento definitivo para la cultura. Por lo general, su estilo de vestir en el medio laboral es una medida, casi siempre subjetiva, de cómo se conduce o se conducirá en el trabajo.

¿Cómo se relaciona con sus supervisores? ¿Subordinados? ¿Colegas? ¿Cuál es su estilo de dirección? ¿Le gusta trabajar a solas o formar parte de un equipo? Le harán este tipo de preguntas para evaluar cómo actuará e interactuará en el trabajo.

Sin duda alguna, también fundamentarán al menos algunas de sus decisiones de contratación en lo que sienten de la actitud de cada candidato. En cada caso, el entrevistador evaluará si el aspirante se adaptará a la cultura organizacional, a su propio estilo y al estilo del equipo. En general, una "luz verde" es cualquier respuesta que convenza de que él es el candidato adecuado, y una "luz roja" es una respuesta que revela diferencias de estilo lo bastante significativas como para levantar dudas. En otras palabras, en lugar de categorizar una respuesta como correcta o incorrecta en términos intrínsecos, la mayoría de los entrevistadores sólo intentan dilucidar si usted se relacionará bien con José, o Sandra o Jaime; es decir, los demás miembros de la empresa, departamento o equipo.

A continuación presento una serie de preguntas de "estilo" que debe esperar que le formulen en algún momento a lo largo del proceso.

 ¿ES USTED UNA PERSONA ORGANIZADA?

 ¿QUÉ QUIEREN ESCUCHAR?

Incluso si usted está convencido de que un escritorio impecable es señal de una mente enferma, hable a detalle acerca de las habilidades de organización que ha desarrollado, como administración del tiempo, administración de proyectos, evaluación de necesidades, delegación, etcétera, y cómo esas habilidades lo han hecho más eficiente.

Pero no se aproxime demasiado a los extremos. Nadie quiere contratar a una persona obsesivo-compulsiva que siempre sepa la cantidad de clips que tiene en el escritorio o tan desorganizada que tenga suerte de saber que hoy es lunes.

VARIACIONES

- Haga una descripción detallada de su oficina actual.

- Descríbame su lugar de trabajo.

- Hábleme acerca de los primeros cinco expedientes de su archivero.

- Cuénteme cómo son los primeros 60 minutos de un día normal.

 ## ¿ADMINISTRA BIEN SU TIEMPO?

¿QUÉ QUIEREN ESCUCHAR?

Espero que usted pueda responder que sí y que sea honesto, que afirme que tiene iniciativa y que casi nunca es desidioso. Y, si no puede responder que sí, supongo que será lo bastante inteligente como para darse cuenta de que ahora no es el momento adecuado para quejarse porque su reloj de alarma se descompuso, razón por la cual usted llegó quince minutos tarde a la entrevista, falta que, por cierto, ahora le vuelve a recordar al entrevistador. Los buenos empleados son capaces de establecer metas, fijar prioridades a sus tareas y dedicar a cada una de ellas la cantidad adecuada y apropiada de tiempo.

Al responder a una pregunta conceptual como ésta, pues, ¿qué puede ser más conceptual que el tiempo?, intente proporcionar datos específicos. Aquí le presento algunos ejemplos.

"Es raro que no cumpla con una fecha de entrega. Cuando interfieren circunstancias ajenas a mi control, repongo el tiempo perdido tan pronto como puedo".

"Elaboro una lista de pendientes todos los días a primera hora. Después agrego algunos otros y reordeno las tareas, si es necesario, a medida que avanza la jornada".

"En verdad disfruto de la interacción con mis compañeros de trabajo pero, cuando necesito concentrarme en tareas muy detalladas, me aseguro de apartar tiempo para estar libre de interrupciones de cualquier tipo, de manera que me sea posible enfocarme y trabajar de forma más eficaz".

¿CÓMO ENFRENTA USTED EL CAMBIO?

¿QUÉ QUIEREN ESCUCHAR?

Espero que usted sea capaz de decir que enfrenta bien el cambio. Los negocios representan cambios. Con el fin de ser competitivas, las empresas deben adaptarse a los cambios en tecnología, personal, liderazgo, estructura de negocios, tipos de servicios que ofrecen, incluso los productos que fabrican. Y su gente necesita cambiar a la misma velocidad.

Elija un ejemplo de un cambio que haya enfrentado y cuyo resultado resultara positivo. Intente demostrar que no sólo aceptó el cambio y se adaptó a él sino que creció a consecuencia del mismo.

"Hace poco, mi jefe decidió que nuestra compañía necesitaba abrir una tienda virtual en la red. Se me asignó la tarea, junto con un diseñador, de realizar el proyecto desde la fase de investigación hasta su operación en ocho semanas".

"Yo no tenía experiencia particular en el área computacional o de comunicaciones en línea, de manera que asumí que había recibido esa asignación porque soy adaptable".

"Investigamos el tema, examinamos las alternativas y presentamos un plan, mismo que fue aprobado. Después trabajé con el diseñador para presentar información en un medio con el cual ninguno de los dos había trabajado antes. En nuestro segundo mes en línea, las ventas aumentaron 7 por ciento en comparación con el mes correspondiente al año anterior".

 ¿CÓMO RESPONDE USTED ANTE LA NECESIDAD DE TOMAR DECISIONES IMPORTANTES?

 ¿QUÉ QUIEREN ESCUCHAR?

Para este momento, usted ya tiene una idea de la cultura de la empresa para la cual le interesa trabajar, así que matice su respuesta para hacerla coincidir con aquélla.

Por ejemplo, si usted desea trabajar en una empresa de servicios financieros, es probable que no quiera dar la impresión de que es un gerente que toma decisiones con base en sus intuiciones en lugar de consultar los datos objetivos. De igual manera, si usted solicita la vacante de controlador de tráfico aéreo, es mejor no admitir que prefiere consultar las cosas con la almohada antes de tomar una decisión.

Piense en términos de las preocupaciones principales del entrevistador: ¿Necesitará ser analítico? ¿Creativo? ¿Dispuesto a recurrir a la experiencia de otras personas?

Si usted pretende ocupar un puesto directivo, también querrá aprovechar esa oportunidad para dejar en claro que sus habilidades para relacionarse lo hacen idóneo para la dirección... o al menos lo ponen en el camino de lograr esa meta.

Podría decir algo similar a lo siguiente:

> *"Cuando me enfrento a una decisión importante, pido el consejo de otras personas. Trato de considerarlo todo pero, en última instancia, soy yo quien decide. Quizá sea por eso que se dice que 'hasta arriba se está muy solo'. Mientras más alto sea el puesto directivo, más responsabilidades se tiene y más decisiones deben tomarse a solas".*

A pesar de que ésta es una buena respuesta general, es probable que se le someta a prueba para ver si lo que dice es cierto mediante peticiones como: "De acuerdo, coménteme acerca de la última decisión importante que tomó, cómo llegó a ella y los resultados que obtuvo". ¿Puede hacer coincidir los detalles de esa experiencia con la respuesta general que dio antes? ¿O, sin querer, demuestra que usted hace las cosas de manera distinta, para bien o para mal, a la que mencionó?

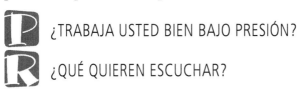

¿TRABAJA USTED BIEN BAJO PRESIÓN?

¿QUÉ QUIEREN ESCUCHAR?

Es natural que todos respondan que sí a esta pregunta. Sin embargo, será más recomendable proporcionar ejemplos que apoyen sus palabras a ser sólo una persona más que hace alarde de mantener siempre la cabeza fría. Asegúrese de elegir anécdotas que no impliquen que las presiones que ha enfrentado sean consecuencia de su propia desidia o deficiencia para anticiparse a los problemas.

VARIACIONES

⬤ Cuénteme acerca de la última vez que la presión le produjo indecisión, una decisión deficiente o un error. ¿Qué hubiera hecho de modo distinto? ¿Se ha encontrado en una situación similar desde entonces? ¿Qué hizo?

El patrón de preguntas para el cual le sugiero que se prepare a lo largo de este libro ya debe ser claro: los buenos entrevistadores lo probarán, lo probarán y lo probarán un poco más. ¿Por qué? Porque imaginan que usted puede ensayar un número limitado de generalizaciones y aprenderse una cantidad determinada de pequeñas mentiras blancas; así que, entre más detalladas sean sus preguntas, más probable es que usted revele sin querer cualquier falsedad, exageración u omisión.

 ¿SE ANTICIPA USTED A LOS PROBLEMAS O SÓLO REACCIONA A ELLOS?

 ¿QUÉ QUIEREN ESCUCHAR?

Todos los gerentes son presa del pánico de vez en cuando. Los mejores aprenden a protegerse anticipándose a los problemas que podrían presentarse de repente. Por ejemplo, un gerente de ventas que conozco ordenaba a todos sus vendedores que le reportaran cualquier variación de presupuestos, tanto positiva como negativa, cada semana. Al compartir esta valiosa información con su jefe y con los departamentos de manufactura, distribución y mercadotecnia de la empresa, ayudaba a mejorar el reabastecimiento de productos y a impulsar las ventas en descenso. Este tipo de historias son magníficas para lograr una entrevista exitosa; ejemplos como éste son los que debe dar.

 ¿TIENDE USTED A CORRER RIESGOS O PREFIERE JUGAR A LO SEGURO?

 ¿QUÉ DESEAN ESCUCHAR?

En la mayoría de los casos, el candidato ideal tendrá ambas características. Los entrevistadores que formulan esta pregunta están en busca de detalles relacionados con la innovación y la creatividad. ¿Es el pastor o sólo uno más del rebaño? Pero también quieren descubrir si usted puede convertirse en una bala perdida que ignore las políticas de la empresa y esté dispuesto a encabezar una cabalgata hacia la muerte.

Una vez más, ésta es una pregunta de alto contenido cultural empresarial. El entrevistador quizá prefiera que el gerente general conduzca a sus tropas a la batalla pero tal vez no querría que fuera un mercenario resentido con tendencias suicidas.

VARIACIONES

- Cuénteme acerca de la última vez que corrió un riesgo. ¿Fue la decisión correcta? ¿Qué haría de diferente manera?

 SI PUDIERA INICIAR DE NUEVO SU CARRERA, ¿QUÉ CAMBIARÍA?

¿QUÉ QUIEREN ESCUCHAR?

Estas preguntas hipotéticas miden la reacción de los candidatos y su agilidad mental. Se espera que se sepa de memoria todos los hechos relacionados con su carrera e historial académico pero, ¿cómo reacciona cuando tiene que bajar la guardia y actuar de manera espontánea?

A menos que pretenda un cambio total de carrera, usted debe convencer al entrevistador de que no cambiaría nada. Usted ama su carrera y, dado el caso, lo haría todo igual de nuevo.

Siéntase en libertad de citar la canción "A mi manera" de Paul Anka (con Frank Sinatra): "¿Arrepentimientos? He tenido algunos pero, después de todo, muy pocos que valga la pena mencionar". En este caso, sin embargo, tenga cuidado con los que mencione y asegúrese de presentarlos de manera que demuestre lo que ha aprendido. ¿Dejó usted su primer empleo porque fue demasiado impaciente para esperar una promoción sólo para darse cuenta después de que no consideró todo lo que podía lograr? ¿Perdió la oportunidad de especializarse en algo o de vivir una experiencia importante en particular?

 LUZ VERDE

"De lo único que me arrepiento es de no haber tomado antes esa dirección. Comencé mi carrera editorial y la disfruté pero, una vez que entré a mercadotecnia, descubrí que me encantaba. Ahora, no puedo esperar a trabajar cada día".

LUZ ROJA

"Desearía nunca haber incursionado en la publicación de revistas, en primer lugar. Ahora creo que estoy estancado. ¡Y pensar que ahora podría editar libros de jardinería...!"

VARIACIÓN

- ¿Cuál es el peor error que ha cometido al elegir un trabajo?

 ¿PREFIERE USTED TRABAJAR SOLO O CON OTRAS PERSONAS?

 ¿QUÉ QUIEREN ESCUCHAR?

Una vez más, el puesto que usted solicita será lo que dicte la forma de su respuesta. Por ejemplo, si usted se entrevista para un empleo como representante foráneo de ventas, que podría llegar a sentir un afecto enfermizo por su auto rentado pues sólo interactuaría con clientes, meseras y empleados de hotel, usted no querría admitir que valora mucho sus relaciones con sus colegas y que ni siquiera podría imaginar un trabajo en el cual no tuviera mucha interacción.

Incluso si disfruta de la interacción en el trabajo, no intente describir su ambiente como una cama de rosas sin espinas. Ya conoce el viejo refrán: "Puedes elegir a tus amigos pero no a tus parientes". Lo mismo aplica para los compañeros de trabajo.

Cada situación laboral nos obliga a relacionarnos con personas a quienes quizá no elegiríamos para socializar. No obstante, debemos convivir con ellas y, con frecuencia, durante largos periodos y en circunstancias adversas. El hecho de reconocer esta situación demuestra fortaleza. Hable de cómo se ha relacionado con diferentes tipos de personas.

 ## LUZ VERDE

En cierta ocasión entrevistaba candidatos para un puesto directivo en un departamento de producción con 16 empleados. Los departamentos de producción en casas editoriales suelen reunir los personajes más peculiares que pueda imaginar, de manera que yo tenía que medir con mucho cuidado las habilidades interpersonales de cada solicitante.

Después de hacerle un par de preguntas a un candidato sobre sus habilidades de dirección e interpersonales, me miró fijamente y dijo:

> *"Mire, usted y yo sabemos que no siempre es fácil lidiar con artistas y lectores de pruebas. Hago mi mejor esfuerzo por convencerlos de la importancia de las fechas de entrega e informarles lo costoso que es para nosotros el hecho de no cumplirlas. También les señalo lo injusto que resulta para las demás personas en el departamento y en toda la operación que los procedimientos se retrasen sin necesidad justificada".*

> *"Por lo regular encuentro la manera de convivir con todas las personas del departamento, con la intención de convencerlas de que las fechas de entrega y la precisión son fundamentales. Muchas veces es divertido.*

Cuando estamos en apuros a causa del retraso de otro departamento, utilizo la experiencia como un ejemplo objetivo. Lo más importante es distribuir el trabajo con equidad y hacer que todos sepan que espero que cada quien cumpla con su parte".

Sobra decir que esta respuesta perfecta ganó el empleo.

VARIACIONES

- ¿Cómo se relaciona usted con sus superiores? ¿Con sus compañeros de trabajo? ¿Con sus subordinados?

- ¿Cuánto tiempo a la semana invierte usted en trabajar solo? ¿Cree que debería ser más? ¿Menos?

- ¿Le gusta realizar investigaciones individuales?

 ## ¿QUÉ QUIEREN ESCUCHAR?

En primer lugar, las respuestas a estas preguntas deben guardar alguna relación con las respuestas a preguntas previas acerca de las personas con quienes usted ha tenido problemas o quienes encontraron dificultades para convivir con usted. ¡Consistencia, consistencia, consistencia! Pero ésta es, una vez más, una pregunta con alta carga cultural cuya respuesta correcta será definida según los requerimientos de la vacante. Si usted prefiere trabajar solo pero el entrevistador está en busca de una persona que siempre forme parte de un equipo, la discrepancia resulta evidente.

 ## EN TÉRMINOS GENERALES, ¿CÓMO ENFRENTA USTED LOS CONFLICTOS?

¿QUÉ QUIEREN ESCUCHAR?

"En realidad no me enojo con mucha frecuencia. Por lo regular soy capaz de resolver los problemas o de anticiparme a ellos antes de que ocurran. Cuando los conflictos son inevitables, siempre intento ser razonable".

O,

"He tenido confrontaciones con colegas que no terminaban de hacer las cosas. Creo que los empleados tienen la obligación con sus jefes, clientes y colegas, de hacer bien su trabajo".

 ## ¿CÓMO SE COMPORTA USTED CUANDO TIENE UN PROBLEMA CON UN COMPAÑERO DE TRABAJO?

 ## ¿QUÉ QUIEREN ESCUCHAR?

"Tuve que trabajar con un diseñador que se obstinaba en no escuchar ninguna de mis sugerencias. Me respondía con monosílabos y después se marchaba sin hacer nada de lo que yo le había pedido. Por fin, le dije: 'Mira, ambos somos profesionales. Ninguno de los dos tiene la respuesta correcta todo el tiempo. He notado que en realidad no te gustan mis sugerencias pero, en lugar de resistirte a implementarlas, ¿por qué no mejor discutimos lo que te desagrada?"

"Funcionó como por arte de magia. De hecho, con el tiempo nos hicimos amigos".

VARIACIONES

- Cuénteme acerca de la última vez que perdió los estribos.

- Hábleme de la última vez que estuvo en desacuerdo con su jefe, un colega o un subordinado. ¿Qué hizo usted y cuál fue el resultado?

¿CÓMO MOTIVA USTED A LA GENTE?

¿QUÉ QUIEREN ESCUCHAR?

Una buena respuesta indicará que ello "depende de la gente" e irá acompañada de uno o dos ejemplos concretos. Un candidato inepto deducirá que a toda la gente la motiva lo mismo o puede ser motivada con el mismo estímulo; el tipo de filosofía de que una talla sirve para todos. Un entrevistador experimentado utilizará esta pregunta como seguimiento a "¿cuál es su estilo de dirección?".

 ## A VECES NO SE PUEDE GANAR

Algunas personas siempre han tenido empleo; de hecho, varios empleos. Las empresas son muy cautelosas al contratar individuos que han cambiado mucho de empleo. Sin embargo, resulta curioso que manifiestan la misma cautela con quienes nunca han cambiado de trabajo. Si alguna de estas dos situaciones describe su historia laboral particular, en seguida encontrará la manera de manejarla.

USTED HA CAMBIADO DE EMPLEO CON MUCHA FRECUENCIA. ¿CÓMO SABREMOS QUE SE QUEDARÁ AQUÍ?

 ¿QUÉ QUIEREN ESCUCHAR?

El proceso de contratación es costoso para las compañías y les quita mucho tiempo a los gerentes. Las personas que brincan de un empleo a otro sólo sirven para hacer más frecuente el proceso, así que prepare su respuesta y convenza al entrevistador de que tiene la voluntad de permanecer allí dado que la vacante disponible es la "tierra prometida" de su carrera.

 LUZ VERDE

Elija una de estas dos estrategias:

- Confiese que al principio tuvo dificultades para definir sus metas profesionales pero que ahora está seguro de su dirección.

- Convenza al entrevistador de que usted dejó puestos anteriores sólo después de darse cuenta de que el cambio era la única manera de incrementar sus responsabilidades y ampliar su experiencia.

Asegúrese de hacer énfasis en el hecho de que nada le gustaría más que quedarse y crecer con la empresa. Estudie este ejemplo si tiene que explicar su propia historia de saltos de un empleo a otro.

Graciela tuvo cuatro empleos en los primeros seis años después de graduarse de la universidad. Su inteligente respuesta al escepticismo de un entrevistador acerca de su voluntad de permanecer combina ambas estrategias:

*"A lo largo de mi carrera universitaria estuve conven-
cida de que quería ser programadora pero, unos meses
después de haber aceptado mi primer empleo, descubrí
que no me sentía satisfecha. Como es natural, culpé a
la empresa y al trabajo. Cuando surgió una oportunidad en un importante banco, la aproveché pero, no
mucho tiempo después de que la euforia inicial se des-
vaneciera, descubrí que otra vez estaba inconforme".*

*"Para entonces había notado que disfrutaba mucho de
la parte de mi trabajo que tenía que ver con las aplicaciones, así que cuando me enteré de la vacante en computación con usuarios finales en SafeInvest, la solicité.
Aprendí mucho allí hasta que llegué al tope. Era una
compañía pequeña y yo ya no podía crecer más".*

*"Fui reclutada para el puesto de aplicaciones en un
importante banco y obtuve el empleo gracias a algunas innovaciones que desarrollé en Safe Invest. El
trabajo era magnífico pero, de nuevo, me di cuenta de
que era un departamento de una sola persona".*

*"Este puesto ofrece la oportunidad de dirigir un de-
partamento e interactuar con programadores y espe-
cialistas en aplicaciones a la vanguardia en tecnología.
A lo largo de mi carrera, lo único que ha permanecido
constante es mi amor por aprender. Este empleo me
dará la oportunidad de aprender mucho".*

USTED HA PERMANECIDO EN LA MISMA
ORGANIZACIÓN DURANTE X NÚMERO DE AÑOS.
¿NO LE RESULTARÁ DIFÍCIL ADAPTARSE A UNA
NUEVA CULTURA, COMPAÑÍA, AMBIENTE O EQUIPO?

¿QUÉ QUIEREN ESCUCHAR?

Éste es el reverso de la pregunta anterior. A los ojos del entrevistador, si usted ha cambiado mucho, es cuestionable su voluntad de permanecer; si ha durado mucho tiempo en una sola empresa, se cuestiona su iniciativa. Es una situación de perder-perder.

Ésta es una manera de contraatacar: durante su estancia en su compañía actual quizás haya trabajado para más de un jefe. Incluso es probable que haya supervisado distintos tipos de personas en varios departamentos. Seguro que ha trabajado en equipo con diferentes colegas y, desde el interior de una organización, usted ha tenido la oportunidad de observar una amplia variedad de empresas externas; es decir, competidores, vendedores, clientes, etcétera. ¿Capta?

Usted es flexible y leal. Debe recordarle al entrevistador que ésta es una combinación valiosa.

VARIACIÓN

- Usted ha trabajado para su actual empleador durante un periodo corto. ¿Es ésta una señal de que hará muchos cambios a lo largo de su carrera?

Para cuando le hayan hecho algunas preguntas introductorias, acerca de sus experiencias en bachillerato y en la universidad que se relacionen con el trabajo, seguro que usted ya tiene una idea de si todavía es un candidato viable o no. Si lo es, puede esperar que le hagan más preguntas. Si no, prepárese para que lo acompañen a la puerta en cualquier momento.

Si el entrevistador aún está inseguro, es momento de que le formule preguntas más detalladas. Lo ha invitado a pintar un retrato. Muy bien, Rembrandt, ¿qué más puede ofrecerle?

CONSEJOS PARA RESPONDER PREGUNTAS ACERCA DEL TRABAJO

○ **SEA HONESTO, pero resalte sus fortalezas y disimule sus debilidades.** Si tiene que referirse a sus experiencias negativas, señale lo que ha aprendido de ellas y por qué no cometería de nuevo los mismos errores.

○ **INTRODUZCA SÓLO ELEMENTOS POSITIVOS.** No proporcione información que después pueda regresar a atacarlo.

○ **AL ELABORAR UN RETRATO DE USTED MISMO, ESTABLEZCA UN ADECUADO EQUILIBRIO DE SU VIDA.** Los entrevistadores y gerentes contratantes con frecuencia se sienten atraídos hacia las personas que gustan de correr riesgos, pero también le dan mucha importancia al hecho de hacer cumplir las reglas. Su investigación previa a la entrevista deberá clarificar cuál camino deberá elegir usted. Si tiene dudas, no se incline por ninguno y estructure una respuesta balanceada.

○ **UTILICE SITUACIONES LABORALES ESPECÍFICAS PARA SUSTENTAR SUS RESPUESTAS.** Si siente que la entrevista tiende hacia la subjetividad, recupere el control y cite ejemplos concretos de su experiencia pasada. No sólo diga que es organizado; diga cómo organizó un complejo proyecto desde el principio hasta el fin. Recuerde todo el tiempo que usted desea que el entrevistador base su decisión en los hechos; es decir, sus fortalezas, calificaciones y logros, no en una evaluación subjetiva de química personal.

● **ELIJA SUS PALABRAS CON CUIDADO.** Asegúrese de responder preguntas, no de sugerir otras áreas que el entrevistador no se haya propuesto explorar. Por ejemplo, sugiero que diga: "Estoy en busca de mayores desafíos" en lugar de: "Mi jefe no me daba suficiente trabajo". ¿De veras quiere hablar de eso?

CAPÍTULO

Concentrémonos en algunos detalles

Una vez cubiertas las generalidades de rigor, temas incómodos como la motivación y su actitud básica en el trabajo, los buenos entrevistadores intentarán indagar detalles de su desempeño pasado. ¡Anímese, si ha logrado llegar hasta aquí es porque sigue siendo un candidato viable!

 CUÉNTEME ACERCA DE LA ÚLTIMA VEZ QUE...

- Cometió un error.
- Tomó una buena decisión.
- Tomó una mala decisión.
- Despidió a alguien.
- Contrató a alguien.
- Fue despedido.
- Firmó su renuncia a petición de alguien.

- Recibió una negativa a una promoción.

- Aprendió una nueva habilidad.

- Se hizo experto en algo.

- No pudo terminar un proyecto a tiempo.

- Encontró la solución única a un problema.

- Encontró una solución creativa a un problema.

- Encontró una solución viable a un problema, en términos de costos.

- Tuvo expectativas demasiado altas.

- Tuvo expectativas demasiado bajas.

- Hizo o perdió una gran venta.

- Ahorró dinero a la compañía.

- Superó el presupuesto.

- Excedió sus propias expectativas.

- Excedió las expectativas de su jefe.

- No alcanzó las expectativas de su jefe.

- Tuvo que reaccionar de manera espontánea.

- Tuvo que tomar una decisión que no fue apoyada por la mayoría.

- Trabajó para un jefe difícil.

- Atendió a un cliente difícil.

- Trabajó con un colega difícil.

- Trabajó con un subordinado difícil.

- Se frustró en el trabajo.

¿QUÉ QUIEREN ESCUCHAR?

Éstas son preguntas abiertas como "hábleme sobre usted", que, aunque lo animan a hablar, debe responder de manera enfocada y específica. Sobra decir que las preguntas de seguimiento se derivarán de su primera respuesta: "De acuerdo, entiendo que la falta de coordinación en la división condujo a un resultado inferior al presupuestado y que usted aceptó la responsabilidad por la falta de comunicación pero, ¿qué hizo para cambiar los procedimientos con el fin de evitar que esto volviera a pasar? Y, por cierto, ¿volvió a ocurrir?".

Prepárese para que un entrevistador experto le haga más preguntas y le pida más detalles específicos, más ejemplos, quién dijo, hizo qué, cuáles fueron los resultados, qué haría distinto ahora, qué necesita cambiar para mejorar en el futuro, qué ha cambiado, etcétera.

LUZ VERDE

Una respuesta específica a una pregunta específica; mientras más detallada, mejor.

Una respuesta a cualquiera de las preguntas anteriores que tenga un principio, un punto medio y un final, como toda buena historia: esto es lo que sucedió, eso es lo que hizo y aquello lo que aprendió.

En ocasiones deberá responder sobre asuntos relacionados con el trabajo; otras veces podrá dar ejemplos de actividades externas, del trabajo voluntario o de cualquier área de la vida personal. Un buen candidato mezclará historias y ejemplos para convencer al entrevistador de que es una persona estable con actividades y experiencias fuera del trabajo.

Otórguese el crédito apropiado por un logro, como reducir costos, incrementar utilidades, una solución creativa o una venta difícil, pero sea lo bastante justo y honesto para situar su contribución dentro del contexto de lo que hizo su equipo, organización, jefe, asistente, etcétera, y finja que hace un gran esfuerzo al hablar de sus logros.

La mayoría de los entrevistadores favorecerán a un candidato que tiene la suficiente experiencia para haber tomado buenas y malas decisiones, para haber contratado buenos y malos empleados y para haber elegido bien y mal. La magnitud de su exposición sobre los puntos básicos del negocio es más importante, al menos para mí, que la extensión de su experiencia.

 ## LUZ ROJA

Evite dar la impresión de que usted es el señor "Generalización" que trabaja arduamente, tiene iniciativa y gran energía pero incapaz de dar ejemplos suficientes que fundamenten su grandeza, sin importar cuántas preguntas se le hagan al respecto.

La mayoría de los entrevistadores sospecharían de alguien que tuviera años de experiencia en el mismo empleo y que pareciera que se ha expuesto muy poco a los caprichos de la vida cotidiana en el mundo. Usted acertó al contratar a un empleado. Nunca ha tenido que despedir a nadie. No puede recordar cuándo tuvo que tomar una decisión importante.

Sin importar lo talentoso que usted sea, o crea que es, evite declarar que usted ha sido presidente, gerente general, gerente corporativo, estrella creativa y gurú de ventas, todo al mismo tiempo. Incluso si usted es un prodigio que opacaría a Mozart, debe ser lo bastante inteligente como para no adjudicarse el crédito de todos los éxitos que su empresa ha alcanzado en la última década, ¡sobre todo si sólo ha trabajado allí durante tres años!

Siempre me pareció interesante, por ejemplo, que siete publicistas independientes se acercaron a mí en una exposición y cada uno de ellos, en su currículum e incluso en sus tarjetas de presentación, declararán ser los responsables absolutos del éxito del libro *Caldo de pollo para el alma*. No estoy seguro siquiera de si alguno de ellos trabajó con el libro, ¡pero queda claro que no todos fueron los gerentes exclusivos del plan publicitario!

 ¿QUÉ HACE USTED CUANDO TIENE DIFICULTADES...

- Para encontrar la solución de un problema?
- Con un subordinado?
- Con un jefe?
- Con su trabajo?

 ¿QUÉ HACE USTED CUANDO...

- Las cosas marchan con lentitud?
- Las cosas son confusas?
- Está exhausto?
- Tiene múltiples prioridades, como familia, escuela, trabajo, etcétera?

 ¿QUÉ QUIEREN ESCUCHAR?

Estas preguntas sólo son intentos ulteriores de descubrir cómo piensa y actúa. Es probable que ya le hayan preguntado, hace diez o treinta minutos, acerca de problemas con jefes, colegas y semejantes, de manera que sea cuidadoso. Un buen entrevistador quizás intente ponerle una trampa al interrogarlo sobre un mismo tema desde una dirección distinta. El estilo de pregunta de: "¿Qué hace usted cuando...?" es muy distinto de: "¿Tiene usted problema con...?".

¿CUÁLES HABILIDADES NECESITA DESARROLLAR PARA PROGRESAR EN SU CARRERA?

¿QUÉ QUIEREN ESCUCHAR?

Usted debe decir que está en el proceso de desarrollar una habilidad que se relacione con el empleo que pretende obtener; de otra manera, ¿por qué lo menciona? "Bueno, en realidad necesito tensar con más firmeza las cuerdas de mi raqueta de tenis. Mi revés es bastante malo." De acueeeeerdo.

Permítame reformular la pregunta:

¿QUÉ ES LO QUE SUS SUPERVISORES TIENDEN A CRITICAR MÁS ACERCA DE SU DESEMPEÑO?

¿QUÉ QUIEREN ESCUCHAR?

Ésta es otra manera de estructurar una serie de preguntas que tal vez ya haya escuchado: ¿cuál es su mayor debilidad?, ¿cuál ha sido su mayor fracaso?, ¿qué diría de usted su supervisor?

El hecho de hacerle la misma pregunta varias veces, de tres o cuatro maneras distintas, tiene la finalidad de detectar las inconsistencias en las que podría incurrir.

LUZ VERDE

Debe dar por hecho que alguien se tomará la molestia de confirmar sus referencias y que se comunicará con su actual supervisor, así que su respuesta deberá coincidir con lo que éste diga.

Considere la posibilidad de comentar acerca de una evaluación negativa de algún aspecto que le hayan hecho en su empleo anterior o actual, agregue lo que hizo al respecto y después afirme que, en consecuencia, su supervisor dejó de considerarlo un problema.

Sólo recuerde que un buen entrevistador encontrará la manera de desentrañar esa elegante evasiva de su parte: "¿Hubo alguna razón para que su supervisor lo criticara en su última evaluación de desempeño? Es decir, ¿en cuáles áreas específicas debe usted mejorar según se indica en la última evaluación de su supervisor?".

 ## LUZ ROJA

Nunca cite una característica personal que pudiera obstaculizar su desempeño profesional o que haga sospechar que es un impedimento, como desidia, pereza, falta de concentración, temperamento irascible o impuntualidad.

Si usted afirma que nunca ha recibido una evaluación baja, es muy probable que levante incredulidad. Aunque no necesariamente sea mentira, pues hay empresas y jefes que no realizan evaluaciones sistemáticas o no las toman tan en serio, quizá lo lleven a esta pregunta de seguimiento: "Cuénteme acerca de la última vez que su jefe lo criticó. ¿Por qué razón? ¿Cuál fue su respuesta? ¿Qué ha hecho usted para resolver, corregir o cambiar lo que él criticó?". A mí me parecería muy sospechoso que un candidato asegurara que nunca le han leído la cartilla.

 ## ¿DESARROLLÓ USTED NUEVOS PROCEDIMIENTOS, SISTEMAS, POLÍTICAS, ETCÉTERA, EN SU PUESTO ANTERIOR? HÁBLEME AL RESPECTO

 ## ¿QUÉ QUIEREN ESCUCHAR?

¡Desde luego! Usted tiene muy buenas soluciones que le encantaría compartir. Por desgracia ninguna de ellas pudo ser implementada debido a circunstancias más allá de su control.

Usted no necesita ser un presidente de división o gerente de departamento para responder a esta pregunta. Un asistente administrativo pudo instituir un nuevo y creativo sistema de archivo, una mejor forma de delegar la correspondencia departamental o quizá se valió de la tecnología para mejorar una tarea tan mundana como organizar la agenda de su jefe.

El entrevistador busca a una persona diligente, creativa y preocupada por la organización y por su éxito, así que éste es el momento de sacar a relucir esos hechos y cantidades de las que hablamos antes. Describa los cambios o mejoras de las que usted es responsable e identifique cómo ayudaron a la compañía a incrementar sus utilidades, a ahorrar dinero, mejorar la producción, ¡o a todo esto!

VARIACIÓN

- ¿Existe algo que su empresa, departamento o equipo hubiera podido hacer para ser más exitosos?

He aquí una respuesta muy aceptable:

"Desde luego, pudimos expandir nuestra línea de producto o incluso duplicarla para aprovechar nuestra grandiosa distribución, pero no pudimos conseguir el capital y obtener financiamientos".

 ¿HA ESTADO USTED A CARGO DE LA ELABORACIÓN DE PRESUPUESTOS, APROBACIÓN DE GASTOS Y SUPERVISIÓN DEL PROGRESO DEPARTAMENTAL DE

ACUERDO CON LAS METAS FINANCIERAS? ¿ESTÁ USTED CALIFICADO EN ESTA ÁREA?

 ¿QUÉ QUIEREN ESCUCHAR?

Una vez más, una responsabilidad financiera indica confianza de su empleador en usted. Si no ha desempeñado muchas tareas fiscales o ninguna, admítalo pero, como siempre, nada le impide ser creativo en la manera de estructurar su respuesta. He aquí un ejemplo:

> *"Bueno, nunca he estado a la cabeza de un departamento pero he tenido que establecer y cumplir objetivos presupuestales en muchos de los proyectos en los cuales he trabajado. De hecho, eso era tan frecuente para mí que asistí a un curso para aprender a proyectar resultados con Excel".*

Si usted ha tenido responsabilidades más amplias, hable acerca de su autoridad para las aprobaciones. ¿Cuál es el mayor gasto que usted ha tenido que aprobar? Permita que el entrevistador sepa, en números redondos, los ingresos y egresos de los departamentos que usted ha supervisado.

Sea cuidadoso. Esta pregunta también está diseñada para atraparlo en caso de que haya mentido en alguna pregunta anterior. "¿Así que usted supervisó a catorce personas pero no tuvo ninguna responsabilidad financiera? Mmmmm."

Si respondió de manera afirmativa a esa pregunta, espere más pruebas: "En su experiencia, ¿cuáles fueron los obstáculos más comunes que enfrentó al terminar asignaciones o proyectos a tiempo y dentro del presupuesto? Mencione dos o más ejemplos y dígame cómo los manejó".

¿ALGUNA VEZ HA DESPEDIDO A ALGUIEN? ¿POR QUÉ?

 ¿QUÉ QUIEREN ESCUCHAR?

Incluso si tuvo una buena razón para hacerlo, usted sabe que despedir a alguien nunca es agradable. Dígalo y proporcione una versión "ligera" y breve de los sucesos. Recuerde que no pretende dar la impresión de ser negativo o que podría causar alteraciones en todo un departamento, pero tampoco quiere parecer demasiado blando.

Usted debe referirse con moderada simpatía a la persona o personas a quienes hizo pasar por la guillotina y expresar que en realidad no disfrutó del papel que tuvo que desempeñar. También debe manifestar que a veces es necesario despedir a algún empleado pues los negocios son los negocios, y debe mostrarse dispuesto a hacerlo de manera apropiada, profesional y compasiva cuando sea necesario.

 LUZ VERDE

Digamos que despidió a un empleado que no alcanzó sus metas de productividad. Quizás usted piense:"Hombre, me alegro de haberme deshecho de ese inútil. No era sino un tonto chillón que nunca tuvo un solo día productivo en todo el tiempo que estuvo en el trabajo". Adelante, piense lo que quiera pero, cuando abra la boca, diga algo como lo siguiente:

> *"Sí, despedí a un empleado que casi nunca alcanzaba sus metas de productividad. Sus carencias fueron documentadas y comentadas con él a lo*

*largo de varios meses. No obstante, nunca mostró
señal alguna de mejoría en ese tiempo. No tuve
opción. Como supervisor, quiero que toda la gente
de mi departamento trabaje bien. Sin embargo, en-
frentemos el hecho de que no toda la gente es igual
de dedicada a su trabajo".*

Si en realidad usted nunca ha despedido a nadie, ésta es
una manera de responder:

*"Nunca he despedido a nadie, pero la políti-
ca en mi empresa indica que ningún despido o
contratación debe hacerse de manera unilateral.
En dos ocasiones se me pidió dar mi opinión
acerca del desempeño de alguien más. Nunca es
fácil ser honesto en lo referente a los defectos de
los compañeros de trabajo, pero sentí que tenía
que hacer lo que fuera más conveniente para mi
departamento y que hiciera justicia a las demás
personas que trabajaban en él".*

 ¿ALGUNA VEZ HA CONTRATADO A ALGUIEN?
¿POR QUÉ LO ELIGIÓ?

 ¿QUÉ QUIEREN ESCUCHAR?

Si usted ha contratado a una o más personas durante su carrera, su respuesta podría ser similar a ésta:

*"Sí, he contratado personal. También he decidido
que algunos solicitantes internos eran adecuados
para trabajar en mi departamento. La primera vez*

*que contraté a una persona, me concentré en confir-
mar sus calificaciones de acuerdo con una lista que
había elaborado".*

*"Sin embargo, a partir de entonces he aprendido
que algunos candidatos, que después se convirtie-
ron en trabajadores excelentes, no necesariamente
cumplían con todas las calificaciones que aparecían
en esa lista. Se superaron en muchos más aspectos
de los que carecían al principio, con entusiasmo y
disposición para trabajar con otras personas".*

¿Qué sucede si nunca ha contratado a nadie? Demués-
trele al entrevistador que usted aprecia que él o ella pretende
evaluar tanto su potencial directivo como sus habilidades interpersonales e intente una respuesta como ésta:

*"No en realidad, pero en muchas ocasiones se me
ha pedido hablar acerca de posibles solicitantes y
expresar mi opinión. Desde luego, en esos casos
intenté determinar si la persona podía trabajar en
equipo y si podría adaptarse al resto de la gente en
el departamento".*

EMPECEMOS DESDE ARRIBA

Si usted está en busca de un puesto ejecutivo, la mayoría de
las preguntas previas en este libro son tan pertinentes como
si usted aspirara a un puesto de recepcionista aunque, en

dado caso, ¡el entrevistador esperará un nivel diferente de respuestas! He aquí algunas preguntas que puede esperar si usted es un gerente de finanzas, gerente de información o vicepresidente ejecutivo.

¿CUÁL FUE LA PARTE MÁS DIFÍCIL DE SER DIRECTOR O EJECUTIVO?

Cuénteme acerca de la última situación en la cual tuvo que desintegrar una unidad, departamento, división o compañía problemáticos. ¿A qué se enfrentó, qué hizo y qué tipo de cultura intentó implementar?

- ¿Qué tipo de gente contrató y despidió?
- ¿Cuáles metas estableció?
- ¿Cuánto tiempo duró la reestructura y cuáles fueron los resultados?

¿QUÉ QUIEREN ESCUCHAR?

Cada pregunta está diseñada para descubrir su estilo de dirección, medir sus habilidades para conceptualizar sobre una base general e implementar algo específico como generar lealtad, unidad y metas compartidas, crear y producir bajo presión, mantenerse dentro del presupuesto o producir más de lo planeado, etcétera. No es necesario decir que usted debe citar ejemplos muy específicos que detallen los problemas a los cuales se enfrentó, que acciones realizó y los resultados que obtuvo.

VARIACIONES

- ¿Qué tipo de decisiones le cuesta trabajo tomar?
- ¿Cuál es su proceso para llegar a una decisión?
- ¿Cómo decide cuáles tareas delegará y a quién?

¿CÓMO SE MANTIENE INFORMADO?
¿QUÉ QUIEREN ESCUCHAR?

Existen muchas maneras de obtener la información que el entrevistador busca con esta pregunta. He aquí algunas variaciones:

- ¿Cuántas juntas programa o a cuántas asiste por semana o por mes?
- ¿Es usted un gerente aficionado a merodear por los alrededores?
- ¿Invierte usted mucho tiempo en las oficinas de sus subordinados para hacerles preguntas o prefiere esperar a que ellos acudan a usted cuando surgen problemas?

Todas las anteriores son preguntas mucho más específicas que "explique su estilo de dirección", pregunta que un candidato experimentado puede salpicar con un par de citas de gurús de los negocios. Mientras más alta sea su posición actual, y mientras más alto sea el puesto ejecutivo al cual aspira, más probable es que le hagan este tipo de preguntas y más importantes serán sus respuestas.

¿CÓMO SE ENFRENTA A LOS SUBORDINADOS QUE SE CONVIERTEN EN PARTE DEL PROBLEMA EN LUGAR DE SER PARTE DE LA SOLUCIÓN?

 ¿QUÉ QUIEREN ESCUCHAR?

Esto ya se le ha preguntado antes de forma distinta. El entrevistador intenta separar a los líderes reales de los "gerentes de título" con el fin de evaluar si su estilo particular se adaptará a la cultura organizacional.

 ¿VE ESA PINTURA EN LA PARED? VÉNDAMELA

O la pluma, el escritorio, el pisapapeles o lo que sea. No estoy seguro de que me guste esta pregunta en particular, aunque no debe sorprenderle a un candidato inexperto a un puesto de ventas.

 ¿QUÉ QUIEREN ESCUCHAR?

Una de las principales características de un buen vendedor es su habilidad para formular preguntas y escuchar las respuestas, como un buen entrevistador. Por tanto, un buen candidato a ventas comenzará por hacer una serie de preguntas acerca del producto y de las necesidades particulares de su interlocutor.

Un viejo amigo mío, superestrella de las ventas, en cierta ocasión me dijo que si hacía las suficientes preguntas, en especial suficientes preguntas adecuadas, tarde o temprano cualquier cliente potencial le diría justo lo que él necesitaría decir para lograr la venta.

Como es obvio, la prueba por excelencia para un candidato a ventas es si es capaz de vender ese objeto al entrevistador. ¿Y qué hay de los candidatos que no tendrán relación alguna con ventas? Esta pregunta es viable incluso sólo para ver cómo reacciona a la presión. Mientras menos orientado esté usted a las ventas, más le incomodará esta pregunta.

MÁS CONSEJOS PARA RESPONDER PREGUNTAS ACERCA DEL TRABAJO

- **SEA POSITIVO** en cuanto a sus razones para dejar su empleo actual o cualquier empleo previo, para el caso. La palabra clave a recordar es "más". Usted quiere más responsabilidad, más desafíos, más oportunidades y, finalmente, más dinero, pero no mencione este último, más que como una consecuencia natural de los otros "más".

- Si ha sido despedido, **resalte lo que aprendió** de la experiencia. Sea tan positivo como le sea posible.

- **CUANTIFIQUE** la confianza que otros empleadores han depositado en usted. Haga énfasis en datos específicos, cantidades y logros medibles. Mencione el número de empleados que usted ha supervisado, la cantidad de dinero que ha controlado y las utilidades que logró su departamento bajo su mando.

- **NUNCA HABLE MAL** de sus supervisores o jefes anteriores.

- Convierta ese empleo en su objetivo principal. **Estructure sus respuestas** para comunicar que usted considera que ese empleo es el medio para lograr sus más importantes objetivos profesionales. Procure que no parezca su piedra de apoyo para ascender o un paraíso seguro.

¿Qué ha hecho?

Tanto si ha trabajado durante 20 años o 20 días, es lógico enfocarse en los empleos más recientes, incluso si han durado menos y si el previo duró años y el más reciente sólo unos meses. ¿Por qué? Porque se querrá saber qué ofrece usted, y el empleo más reciente constituye la mejor prueba disponible.

 ¿POR QUÉ PIENSA USTED DEJAR SU EMPLEO ACTUAL?

 ¿QUÉ QUIEREN ESCUCHAR?

Como es obvio, nadie quiere cambiar de empleo si se siente totalmente satisfecho; sin embargo, muchos acostumbran entrevistarse como rutina para no perder la práctica o para explorar otras oportunidades en su área o industria. Pero lo último que usted querrá hacer es parecer negativo o, peor aún, hablar mal de su empleador actual. Se podría asumir que si lo contratan, pronto calificará de la misma manera a la nueva empresa.

Así que sea muy cuidadoso con su descontento si eso es lo que lo trajo aquí. Mientras más descontento se sienta, más cuidadoso deberá ser al hablar al respecto. No le convendrá en absoluto hablarle al entrevistador sobre las noches que ha pasado en vela con la fantasía de despedir a su jefe actual.

En cambio, utilice lo que los asesores en dirección llaman "visualización": imagine el siguiente paso ideal en su carrera y actúe como si se entrevistara para ese puesto.

Esto es lo que quiere

> *"dado el tamaño de la compañía y el hecho de que la expansión no sea parte de su plan estratégico presente".*

 ## LUZ VERDE

A menos que usted haya sido despedido o degradado, debe dejar claro que está sentado frente al entrevistador sólo porque busca más responsabilidad, un mayor desafío, mejores oportunidades de crecimiento, incluso más dinero, y no porque quiere escapar con desesperación de su situación laboral actual.

Haga énfasis en su deseo de ascender en lugar de simplemente cambiar de trabajo.

Evite cualquier comentario personal o negativo acerca de sus colegas, supervisores o las políticas de su empleo actual o más reciente.

 ## LUZ ROJA

Introducir cualquier punto negativo, independientemente de lo insoportable que sea su situación laboral actual. De hecho, mientras más evidente sea que su empleo es horrible, mejor comunicará su satisfacción relativa.

La disposición a hacer un movimiento lateral o incluso a aceptar un puesto menor sólo con el fin de dejar su empleo actual. A menos que su intención sea cambiar por completo de área o campo, dicha disposición de salir en lugar de ascender me daría razones para dudar. ¿Qué es lo que oculta? ¿Será éste su último intento por salir antes de ser despedido? ¿Y qué dice esa actitud acerca de su habilidad para soportar hasta que se presente la situación apropiada? ¿Es mi empresa un mar más calmo para flotar en el agua hasta que pase el barco adecuado?

Un candidato que admite que tiene fantasías nocturnas de que llama a un torturador monstruoso para "disciplinar" a su jefe actual.

VARIACIONES

- ¿Qué es lo que obstaculiza su progreso en su empleo actual?

- ¿Es ésta la primera vez que piensa dejar su empleo? ¿Qué le hizo quedarse en las anteriores ocasiones?

¿DÓNDE CREE SU JEFE QUE ESTÁ USTED AHORA?

¿QUÉ QUIEREN ESCUCHAR?

Aunque ya le hayan avisado de su próximo despido o ya lo hayan despedido y por tanto, su jefe actual está enterado de que ha acudido a la entrevista, es muy probable que usted siga contratado, de manera que bajo ninguna circunstancia se atreva a mencionar algo como: "Él sabe que me entrevisto con usted para que pueda salir de ese agujero infernal. Por cierto, él le llamará mañana para solicitarle empleo también". Usted debe intentar programar entrevistas durante su hora de almuerzo, después del trabajo, en días personales o durante sus vacaciones. En lo personal no me gusta escuchar que el candidato se ha reportado enfermo para hablar conmigo. Es una mentira blanca, pero mentira al fin y al cabo.

 ## LUZ VERDE

La verdad, cualquiera que ésta sea. Muchos entrevistadores le darán puntos buenos por demostrar su sentido de responsabilidad hacia su empleo actual al programar una entrevista durante el desayuno, el almuerzo o después de las horas laborales.

 ## LUZ ROJA

Si usted ha mentido o indica por medio de su lenguaje corporal que esa pregunta lo incomoda, lo cual implica que mintió.

Si su respuesta demuestra muy poca o ninguna lealtad hacia la empresa que aún paga sus cuentas, tanto si esa organización es celestial o despótica.

 ## ¿AÚN ES USTED EMPLEADO DE LA ÚLTIMA EMPRESA QUE APARECE EN SU CURRÍCULUM?

 ## ¿QUÉ QUIEREN ESCUCHAR?

Es probable que conozca el adagio de que siempre es más fácil encontrar trabajo cuando tiene uno. Bueno, es verdad porque muchos entrevistadores creen que una persona contratada es, de alguna manera, mejor que una desempleada, incluso si la última está más calificada. Para muchos entrevistadores, estar desempleado es señal de debilidad. Incluso en alguna ocasión escuché decir a un experimentado ejecutivo de reclutamiento: "¡Oh! si perdió su empleo, debe haber algo malo en ella. ¡Las empresas nunca dejan marcharse a los buenos empleados!" ¡Si eso fuera cierto!

Pero el hecho es que los recortes de personal masivos, a pesar de no ser tan frecuentes o conflictivos como hace algunos años, pueden ocurrir y así es. Muchos individuos trabajadores y leales que han contribuido en gran medida a sus empresas, tienen que admitir que han sido despedidos y podrían ser adquisiciones valiosas para otras compañías. En lo personal estoy convencido de que no existe vergüenza alguna en esta situación y le doy al candidato despedido la misma consideración que le doy a cualquier otro. Sin embargo, no asumo que todos los entrevistadores tienen la misma conciencia.

¿Y si lo corrieron? Apresúrese a transformar con suavidad ese punto negativo en positivo.

Consideremos el caso de Diego. Como gerente de ventas de un hotel, Diego tuvo la mala fortuna de trabajar para un tirano miserable que solía incriminar a Diego y a sus colegas con frecuencia, sin piedad y en público.

Cierto día, Diego no aguantó más, perdió los estribos con su jefe y fue despedido en el acto. Tiempo después, le preguntaron sobre su situación laboral en una entrevista para otro puesto comercial en un hotel. Él respondió llanamente: "Me corrieron".

Cuando el entrevistador, asombrado, le pidió que le contara más al respecto, Diego explicó:

"En realidad mi jefe y yo nunca tuvimos una bue-
na relación y tengo que admitir que no manejé bien
la situación. En verdad comprendo la importancia
de los reportes de llamadas, las hojas de registro y
otro tipo de controles de administración de ventas.
Supongo que interpreté las súbitas demandas de
Rodrigo de esos documentos como falta de confian-
za y no debí hacerlo. He aprendido mi lección".

LUZ VERDE

Hable menos acerca de por qué fue despedido y más de lo que
aprendió de esa experiencia.

Si perdió su empleo, nadie espera que usted se disculpe
por ello. Puede decir algo así: *"Sí, yo fui uno de los 16 empleados*
que perdieron su empleo cuando las ventas descendieron". ¡Ésta es una
salida fácil si usted no es miembro del departamento de ventas!

LUZ ROJA

Como siempre, la introducción de una negativa: *"Sí, me corrie-*
ron porque ya no soy tan joven. Espere a que escuchen lo que mi viejo
abogado tiene que decir acerca de la discriminación por la edad. ¡Les
sacaré mucho dinero!".

Perder el empleo por una causa, en especial si usted se
niega a reconocer su responsabilidad o a detallar los pasos que
ha dado para corregir el problema. Los delincuentes famosos
como Mike Tyson pueden tener muchas oportunidades para
producir millones de dólares después de pagar su condena,
pero a la mayoría de los entrevistadores les causa un poco de

ansiedad contratar a una persona que fue despedida por robar, beber en el trabajo, golpear a su jefe o alguna otra falta igual de encantadora.

 DESCRIBA LA ORGANIZACIÓN DE SU DEPARTAMENTO. TAMBIÉN, ¿CUÁL ES EL CARGO DE LA PERSONA A QUIEN USTED LE REPORTA? ¿CUÁLES SON LAS RESPONSABILIDADES EXACTAS DE ESA PERSONA?

 ¿QUÉ DESEAN ESCUCHAR?

¿Escuchó eso? Si exageró los deberes y las responsabilidades de su puesto actual, el sonido que oyó fue el de la puerta que se acaba de cerrar al marcharse usted de la entrevista.

Esta pregunta está diseñada para dejar muy claro lo que hace: ¿Cómo es que hace "equis" si dijo que ésa es la función principal de su jefe? Esta pregunta también da origen a una serie de preguntas de seguimiento cuyo objetivo es descubrir por qué exageró. Presumimos que el entrevistador no sólo dijo "gracias" en ese momento. Que no le sorprenda que le pida que dibuje un organigrama de su empresa o departamento.

 LUZ VERDE

Las tareas y responsabilidades que coincidan con las que usted expone en su currículum y aquellas que se relacionen con la vacante que le interesa.

Una respuesta que sea consistente con sus respuestas a preguntas previas acerca de su experiencia laboral. Mientras más detallada sea dicha respuesta, más fácil le resultará al entrevistador descubrir cualquier inconsistencia. En ese punto, el entrevistador regresará a esas respuestas previas y le preguntará por qué la actual no coincide con aquéllas.

Una explicación clara de cómo su departamento, división o compañía están organizados, lo cual tiende a mostrar consistencia con su currículum e implica que es verdad que usted ha hecho lo que dice haber hecho. Esté consciente de que un muy buen entrevistador tomará notas detalladas con el fin de revisar cada detalle particular con su supervisor actual cuando le llame para solicitarle referencias sobre usted.

 LUZ ROJA

Una explicación vaga y dudosa que indique que quizá todo es invención suya a medida que habla.

Inconsistencias evidentes con su currículum o con sus respuestas previas.

No incluir una responsabilidad o deber clave del cual habló antes, en especial si es importante para el nuevo empleo.

Un plan organizacional que no tenga sentido para el entrevistador. Mientras más experiencia tenga en diferentes empresas, más probable es que usted haya estado expuesto a diferentes estructuras y estilos de dirección. Si es así, usted sabrá que no lucirá bien una estructura que parezca desproporcionada o que le otorgue demasiada libertad a los empleados de los rangos menores.

 DESCRÍBAME UN DÍA TÍPICO EN SU ACTUAL O MÁS RECIENTE EMPLEO. ¿CUÁNTO TIEMPO PASA USTED AL TELÉFONO? ¿EN JUNTAS? ¿EN CONVERSACIONES PERSONA A PERSONA? ¿EN TRABAJAR A SOLAS? ¿EN TRABAJAR CON SU EQUIPO O CON OTRAS PERSONAS?

¿QUÉ QUIEREN ESCUCHAR?

De nuevo, ellos buscan los detalles que respaldarán algunas de las declaraciones generales que ha hecho acerca de responsabilidades, tareas e incluso aspectos favoritos de su trabajo o que demuestren que esas declaraciones no fueron sinceras o quizás un tanto exageradas.

VARIACIONES

- En un día normal, dígame qué hace en la primera y la última hora de la jornada. ¿A qué horas llega y se marcha?

- Dígame cuáles son las tareas específicas que delega. ¿Delega muchas o muy pocas tareas? ¿Por qué? ¿Qué le impide cambiar eso?

- ¿Cuántas horas a la semana tiene que trabajar para cumplir con sus obligaciones?

- ¿Cuál es la parte más importante de su trabajo actual para usted? ¿Para su empresa?

 ¿DURANTE CUÁNTO TIEMPO HA BUSCADO UN EMPLEO?

 ¿QUÉ QUIEREN ESCUCHAR?

A menos que haya sido despedido o perdido su empleo, su respuesta siempre deberá ser que apenas comienza a buscar. Si cree que el entrevistador tiene manera de averiguar que lleva buscando empleo durante un tiempo porque quizá llegó con él a través de un reclutador, prepárese para explicar por qué no recibió o aceptó ninguna oferta.

Aunque estén en lo correcto o no, muchos entrevistadores creen que mientras más tiempo haya buscado empleo, menos deseable será para contratarlo. En lo personal no estoy de acuerdo. Si una persona ha estado buscando empleo durante uno, dos o tres meses, ¿es menos deseable que un desempleado reciente que aún trae la camiseta de la empresa anterior debajo del saco? Es poco realista esperar que toda la gente que está en busca de empleo lo encuentre de inmediato. Incluso es menos realista no asumir que los candidatos más calificados serán selectivos y que sólo están en busca de la mejor oportunidad para lanzarse de nuevo a las aguas corporativas.

Sea como sea, prepárese para lidiar con esos entrevistadores menos comprensivos que yo.

 ¿POR QUÉ NO HA RECIBIDO OFERTAS HASTA EL MOMENTO?

 ¿QUÉ QUIEREN ESCUCHAR?

Usted es tan selectivo para encontrar el trabajo adecuado como lo es el entrevistador para contratar al candidato indicado. No se lamente ni demuestre que la búsqueda lo altera. Si usted ha recibido una o dos ofertas, podría decir:

> *"Ya he recibido una oferta pero la situación no era la apropiada para mí. Me complace no haberla aceptado porque ahora tengo la oportunidad de ocupar este puesto".*

No obstante, es importante decir la verdad porque la próxima pregunta lógica del entrevistador puede ser similar a las siguientes:

 ¿QUIÉN LE HIZO LA OFERTA? ¿PARA QUÉ TIPO DE PUESTO? ¿CON QUÉ SALARIO?

 ¿QUÉ QUIEREN ESCUCHAR?

Si mintió, ¡corre peligro! ¡Algunos entrevistadores considerarán cualquier admisión de mentira en estas circunstancias como su ofrecimiento "voluntario" de terminar con la entrevista!

Otros más conocen muy bien a su competencia y cuáles puestos intentan cubrir. Si hizo lo correcto y dijo la verdad, siéntase en libertad de proporcionar el nombre de la empresa.

Es importante enfatizar que el puesto que rechazó era muy similar al que ahora solicita. Después de todo, si el empleo que pretende es el ideal para usted, como sin duda le ha dicho al entrevistador tres o cuatro veces, ¿por qué estaría interesado en un puesto distinto en la otra empresa?

 SI NO DEJA SU EMPLEO ACTUAL, ¿QUÉ OCURRIRÁ? ¿CUÁNTO MÁS ESPERA PROGRESAR?

 ¿QUÉ QUIEREN ESCUCHAR?

¿Está tan desesperado por dejar su empleo actual que haría o diría lo que fuera necesario con tal de ocupar esa vacante? Esto no lo convierte en un candidato magistral, según muchos entrevistadores. ¿Por qué tendría él o ella que salvarlo?

Recuerde el adagio: "No hay mejor momento para buscar un nuevo empleo que cuando se siente feliz en el que tiene". Incluso si usted preferiría cascar cacahuates en un estadio que permanecer un mes más en ABC Widget, convenza al entrevistador de que usted es el tipo de empleado capaz de obtener lo mejor de cualquier situación, incluso de una situación laboral de la cual ha dicho que desea salirse.

Usted podría decir:

> *"Como es natural, me interesa este trabajo y ya había pensado salir de ABC. Sin embargo, mis supervisores tienen una buena opinión sobre mí y espero que algún día se abra una oportunidad para mí en la empresa. Soy uno de los principales vendedores de ABC y he visto a otras personas de los mismos niveles ascender a puestos directivos. Eso es lo que yo busco ahora".*

Sin importar sus sentimientos acerca de su empleo actual, siempre es mejor conducir su parte de la entrevista como si usted ocupara el lugar del piloto que recorre el camino hasta notar que un rápido cambio de carril mejoraría su carrera. ¡A usted no le interesa salirse en la primera desviación, vaya donde vaya!

Comience su respuesta con la frase: "Bueno, supongamos que no soy el candidato que se quede con el puesto...". Sin excesos de ego, permita que el entrevistador sepa que usted se toma su tiempo. A usted le interesa elegir un empleo que sea adecuado para usted.

 LUZ VERDE

Si usted puede asegurar o asegura que avanzará y que se le darán más responsabilidades, pero quizás a un paso demasiado lento o sin la adecuada compensación.

Si es capaz de describir una situación en la cual quede claro que la empresa, con poca o ninguna responsabilidad por parte suya, no será capaz de conservar o pagar a su gente más importante por lo que vale; por ejemplo, está en proceso de fusión o en bancarrota, tiene problemas de flujo de efectivo o perdió un cliente o producto importante. Así, su razón para marcharse será obvia y justificable, además de que su futuro allí no está definido y no hay culpa alguna por su parte.

 ## LUZ ROJA

"Bueno, dudo permanecer más allá de esta semana. Es probable que el viejo me corra después del almuerzo."

Una respuesta que indique problemas en la empresa por los cuales usted podría tener algo de responsabilidad: "Bueno, las ventas bajaron 10 por ciento en general y en mi territorio descendieron 72 por ciento. ¡No es mi culpa que todas esas tiendas hayan cerrado!

A pesar de que es buena idea convencer a su empleador potencial de que el mundo es su ostra y usted sólo espera encontrar la perla perfecta de empleo, puede enfrentarse a preguntas como las siguientes:

 ## SI ESTÁ USTED TAN CONTENTO EN SU EMPLEO ACTUAL, ¿POR QUÉ QUIERE DEJARLO? ¿LOS TOMARÁ POR SORPRESA SU DECISIÓN?

 ## ¿QUÉ QUIEREN ESCUCHAR?

Quizás usted sepa que su empresa actual está a punto de quedar fuera del negocio o tal vez quiere dejar el empleo porque acaba de romper su compromiso matrimonial con la persona que ocupa la oficina junto a la suya. No llore en el hombro del entrevistador.

En lugar de ello, asegúrele que su intención no es huir de algo. Usted ha tomado la decisión de progresar hacia:

- Una mayor responsabilidad.

- Un mayor conocimiento.

- La grandiosa oportunidad disponible en esta empresa.

VARIACIONES

- ¿Qué tendría que cambiar en su empleo actual para que usted permaneciera allí?

- ¿Qué ha tenido que cambiar en usted mismo, en sus habilidades, en su filosofía o en sus obligaciones para adaptarse a los cambios en su empresa actual?

- ¿Cuáles aspectos de su empleo actual son distintos a lo que usted esperaba cuando lo aceptó?

 SI TIENE ESAS QUEJAS ACERCA DE SU EMPLEO ACTUAL, SU JEFE O SU EMPRESA, Y ELLOS TIENEN UNA OPINIÓN TAN ELEVADA ACERCA DE USTED, ¿POR QUÉ NO HA COMENTADO SUS PREOCUPACIONES CON ELLOS?

 ¿QUÉ QUIEREN ESCUCHAR?

El entrevistador pretende "cazarlo con su misma bala". ¿Qué clase de solucionador de problemas es usted? ¡Ni siquiera puede hablar con su jefe acerca de los cambios que lo harían sentir mejor!

Si se encuentra acorralado y frente a un callejón sin salida, la única solución es ser tan positivo como pueda: Diga algo como:

> *"Grin & Bear está consciente de mi deseo por progresar, pero la empresa aún es pequeña. No hay mucho que ellos puedan hacer al respecto. El equipo directivo es magnífico y no hay necesidad de aumentarlo en este momento. Ellos están conscientes de los problemas que esto significa en términos de conservar a los buenos trabajadores. Es un tema del cual hablan con mucha frecuencia".*

VARIACIONES

- Si usted pudiera eliminar una tarea o responsabilidad de su empleo actual o último, ¿cuál sería y por qué?

- Si usted pudiera hacer una sugerencia o comentario a su jefe actual, ¿cuál sería? ¿Ya intentó algo similar? ¿Por qué sí o por qué no?

 ¿CÓMO LO DESCRIBIRÍAN SUS COMPAÑEROS DE TRABAJO?

 ¿QUÉ QUIEREN ESCUCHAR?

Desde luego, ellos lo describirían como una persona de trato fácil que trabaja muy bien en equipo. Después de todo, usted ha descubierto que "se pude lograr mucho más cuando la gente enfrenta un problema que cuando se enfrenta entre sí".

Una vez más, el inventario personal que elaboró en el capítulo 1 le será de mucha utilidad. Elija palabras de las listas tituladas "Mis habilidades más fuertes", "Mis mayores áreas de conocimiento", "Mis mayores fortalezas de personalidad" y "Las cosas que hago mejor" y póngalas en boca de sus compañeros de trabajo y amigos.

VARIACIONES

- ¿Cuáles son los cinco adjetivos que su último supervisor utilizaría para describirlo?

- ¿Cuán efectivo era su supervisor para realizar evaluaciones?

- ¿Cuál fue el resultado de su última evaluación de desempeño?

- ¿Cuáles fueron sus fortalezas y debilidades clave citadas por su supervisor?

- ¿Cómo obtuvo su supervisor el mejor desempeño de usted?

- ¿Qué dijo e hizo usted la última vez que estuvo en lo correcto y su jefe no?

 DÉME EJEMPLOS ESPECÍFICOS DE LO QUE HIZO EN SU ÚLTIMO O ACTUAL EMPLEO PARA INCREMENTAR LAS UTILIDADES, REDUCIR COSTOS, SER MÁS EFICIENTE, AHORRAR ESFUERZOS, ETCÉTERA

 ¿QUÉ QUIEREN ESCUCHAR?

Esta pregunta está relacionada con las primeras que le hicieron acerca de sus responsabilidades con presupuestos y cómo está organizado su departamento actual. Los entrevistadores experimentados piensan que es buena idea, después de formular un par de preguntas sobre un tema, preguntar otras cosas y más tarde retomar el tema original. Muchos candidatos, después de navegar con éxito a través de las primeras preguntas, pueden ser descubiertos en sus exageraciones cuando el entrevistador regresa a la pregunta más tarde en lugar de darle seguimiento de inmediato.

 ## ¿QUÉ CREE USTED QUE UN EMPLEADOR LE DEBE A UN EMPLEADO?

 ## ¿QUÉ QUIEREN ESCUCHAR?

Ésta no es, y déjeme repetirlo, no es una invitación a discutir el paquete de prestaciones para empleados que le gustaría tener. Es una pregunta dirigida.

No se enrede en una disertación acerca de la responsabilidad moral del empleador con los empleados. Para el caso, tampoco comente las responsabilidades legales. Intente reorientar la atención del entrevistador hacia su perspectiva positiva y mantenga su respuesta corta y amable:

> *"Creo que el empleador debe a sus empleados oportunidad. En mi nuevo puesto, espero tener la oportunidad de desarrollar proyectos productivos".*

Si el entrevistador busca una respuesta más específica acerca de un tema tan sensible, como la información que un empleador debe compartir con sus empleados o el monto del aumento anual, usted podría responder así:

"Espero que mi empleador sea respetuoso conmigo como empleado y con todos los acuerdos que negociemos en nuestra relación de negocios. Sin embargo, sé que hay momentos en los cuales las organizaciones se enfrentan a decisiones que requieren de confidencialidad y que afectan a los empleados. Así son los negocios".

 EL CANDIDATO ELEGIDO PARA ESTE PUESTO TRABAJARÁ CON INDIVIDUOS MUY BIEN CAPACITADOS QUE HAN ESTADO EN LA COMPAÑÍA DURANTE MUCHO TIEMPO. ¿CÓMO SE ADAPTARÁ A ELLOS?

 ¿QUÉ QUIEREN ESCUCHAR?

Su respuesta deberá mostrar su deseo, como el chico nuevo de la cuadra, de aprender de sus futuros compañeros de trabajo. Usted no deseará generar dudas acerca de cómo reaccionarán ellos hacia su persona. Su respuesta deberá incluir las habilidades, conocimientos e innovaciones que aportará al equipo y debe hacer énfasis en que tiene mucho por aprender de las personas con quienes trabajará, incluso si, en el fondo de su corazón, cree usted que son una bola de fósiles y está impaciente por actualizarlos en cuanto asuma el puesto.

 SU SUPERVISOR LE PIDE QUE HAGA ALGO DE UNA MANERA QUE USTED SABE QUE ESTÁ MAL. ¿QUÉ HACE USTED?

 ¿QUÉ QUIEREN ESCUCHAR?

Ésta es una pregunta difícil; así que, ¿por qué no lo dice? Intente una respuesta como ésta:

> *"En una situación así, incluso el mejor empleado corre el riesgo de parecer insubordinado. Yo propondría una solución alternativa a mi supervisor de la manera más respetuosa posible. Si él insistiera en que yo estoy equivocado, supongo que haría las cosas como él me indica".*

 SI USTED FUERA INJUSTAMENTE CRITICADO POR SU SUPERVISOR, ¿QUÉ HARÍA?

 ¿QUÉ QUIEREN ESCUCHAR?

Todos podemos recordar algún momento en el cual hubo mucha presión en el trabajo y se cometió algún error. Quizá se adjudicó más de la porción de culpa que le correspondía. Tal vez lo sorprendieron circunstancias más allá de su control. En cualquier caso, su jefe le echó la culpa pero pudieron superar el contratiempo y usted se aseguró de que el error no volviera a suceder.

Usted debe responder esta pregunta con el relato de una experiencia de ese tipo. No tiene que elegir el momento más vulnerable o peligroso de su carrera para ilustrar el punto. Los errores simples son más que adecuados:

> *"En el curso de mi carrera ha habido momentos en los cuales surgieron problemas y fui culpado por errores que no creo haber cometido. Sin embargo, un problema es un problema sin importar quién lo origine y está claro que uno no tiene que crear un*

conflicto con el fin de resolverlo. Lo más importante es enfrentarlo".

"En esas ocasiones, cuando el contratiempo ha sido lo bastante significativo, expliqué mi punto de vista a mi supervisor más tarde, una vez que la situación se resolvió y la atmósfera recuperó la calma".

 ¿LE GUSTARÍA TENER EL EMPLEO DE SU JEFE? ¿POR QUÉ SÍ O POR QUÉ NO?

 ¿QUÉ QUIEREN ESCUCHAR?

Sin importar cómo responda a esta pregunta, el entrevistador aprenderá mucho sobre usted así que proceda con cautela. Es una manera indirecta de descubrir si usted desea o no un ascenso.

Comencemos con la primera parte de la pregunta: si su respuesta es afirmativa, indica que usted es una persona ambiciosa y que le interesa el desarrollo profesional; si responde que no, da pie a dudas o reservas, al menos en lo que se refiere al jefe en cuestión.

En la segunda parte de la pregunta, las cosas se ponen difíciles. Por ejemplo, si está claro que a usted le interesa una promoción y el puesto que solicita no ofrece una vía directa a un nivel mayor, entonces el entrevistador podría concluir que se decepcionará. Por otra parte, en una empresa muy competitiva, el hecho de expresar reservas acerca del desarrollo profesional podría eliminarlo de la competencia de inmediato.

Hay dos cosas que debe hacer para prepararse para esta pregunta. En primer lugar, en su investigación preliminar intente detectar la cultura corporativa y las oportunidades de crecimiento. Trate de enterarse de las posibilidades a lo largo de la entrevista.

En segundo lugar, tenga claro cuál es su respuesta honesta. Quizás esté listo, dispuesto y ansioso por ascender al puesto de su jefe o tal vez repudia la idea de un puesto directivo en el cual tenga que lidiar con asuntos del personal. "Conócete a ti mismo" es la frase adecuada para esta pregunta porque, si lo contratan, su respuesta podría tener el efecto de un bumerang.

Ahora junte los resultados para responder. En términos ideales, una respuesta honesta será adecuada para la empresa. Si sus aspiraciones son incompatibles con las posibilidades, usted podrá, bajo su propio riesgo, compensar lo anterior a través de una respuesta apropiada. Pase lo que pase, sea positivo:

"Hace algún tiempo me hubiera encantado ocupar el puesto de mi jefe. En particular me interesa el aspecto de las relaciones con los vendedores y la promoción de ventas".

"Me interesa mucho progresar en mi carrera pero las responsabilidades de mi jefe actual se orientan en gran medida hacia la administración del departamento de producción. Espero obtener un puesto en el cual mi responsabilidad primordial sea la calidad en el diseño".

"Estaría dispuesto a aceptar responsabilidades adicionales pero me gusta la autonomía de un puesto de ventas y encuentro gratificante el trabajo directo con los clientes. La responsabilidad prioritaria de mi jefe es supervisar el departamento y a su personal. En ese puesto, me perdería del contacto con los clientes".

¿QUÉ PASARÍA SI LOS CERDOS VOLARAN Y...?

Las preguntas hipotéticas (¿qué pasaría si...?) son la base de las entrevistas situacionales, en las cuales el entrevistador inventa una serie de situaciones, reales o imaginarias, con el fin de evaluar si usted tiene los recursos, la lógica, la creatividad y la habilidad de pensar bajo presión. ¿Para qué aplicar dicha presión? ¡Ni el mejor candidato puede prepararse para esas preguntas!

Las preguntas de las entrevistas situacionales pueden presentarse en cualquier forma. Yo sólo le proporciono un puñado de ejemplos aquí pero, una vez que usted capte la idea, averigüe si puede superar la sagacidad del entrevistador. Si usted cuenta con una descripción detallada del empleo al cual aspira, utilice su imaginación para intentar anticiparse a varias situaciones que podrían presentarse una vez que esté frente al escritorio del entrevistador.

 SU SUPERVISOR DEJÓ UNA ASIGNACIÓN EN SU BANDEJA DE PENDIENTES Y DESPUÉS SE MARCHÓ DE VACACIONES. USTED NO PUEDE LOCALIZARLO Y NO COMPRENDE BIEN LA TAREA. ¿QUÉ HARÍA?

El entrevistador intenta medir si usted siente un respeto apropiado por las jerarquías y las demandas con tiempo limitado. Al mismo tiempo, puede ser una manera de una firma más empresarial de ver si usted está dispuesto a tomar decisiones cuando esté obligado a ello, incluso si es inevitable que cometa errores.

Si en verdad no hay manera de localizar a su jefe o de dejarle un mensaje vía correo de voz o correo electrónico, usted deberá atreverse a acudir al supervisor de su jefe.

Desde luego, usted lo haría de una manera que no diera una mala imagen de su jefe y explicaría que usted y él no tuvieron oportunidad de comentar la asignación antes de que él se marchara de la oficina. Debido a que todavía no está familiarizado con los procedimientos de la empresa, usted sólo desea asegurarse de haber comprendido la asignación para comenzar tan pronto como sea posible.

 CON FRECUENCIA, SU MEJOR AMIGA LE PIDE DINERO PRESTADO DE LA CAJA CHICA Y NO LO DEVUELVE. YA HA HABLADO CON ELLA PERO SÓLO BROMEA CON USTED. ¿QUÉ HACE?

 ¿QUÉ QUIEREN ESCUCHAR?

Que, a pesar de sus sentimientos de amistad, la empresa es primero. Usted la reportaría.

 SI LE PIDIERA QUE REUNIERA UN GRUPO PARA PROBAR UN NUEVO PRODUCTO QUE ESTAMOS POR PRESENTAR, ¿QUÉ HARÍA?

 NUESTROS VENDEDORES NO HAN ALCANZADO SU CUOTA DE VENTAS DURANTE LOS ÚLTIMOS TRES TRIMESTRES. ¿QUÉ HARÍA?

 ¿QUÉ QUIEREN ESCUCHAR?

Preguntas, preguntas y más preguntas. Al menos al principio. Ellos quieren escuchar su proceso de pensamiento mientras decide lo que hará.

CÓMO BRILLAR EN UNA ENTREVISTA SITUACIONAL

- **ADMITA QUE UNA SITUACIÓN DIFÍCIL LO PONDRÍA NERVIOSO.** Incluso podría caer en pánico durante un momento. Ningún entrevistador busca un candidato que se lance a la carga o que entre en actividad frenética sin antes considerar posibles consecuencias o alternativas. El nerviosismo produce la adrenalina que con frecuencia sirve como combustible para las estrategias creativas.

- **TÓMESE UN MOMENTO PARA PENSAR ANTES DE RESPONDER.** Esto demuestra que usted no tiende a actuar con precipitación. En lugar de ello, se toma el tiempo que requiere para considerar las alternativas y elegir el mejor curso de acción.

- **EVITE LOS IMPULSOS.** Sin importar la técnica de la entrevista, evite la tentación de exagerar o de fabricar una respuesta súbita.

- **DEMUESTRE QUE TIENE CONTACTO CON EL MUNDO REAL.** Admita que tiene mucho por aprender de esa empresa y del puesto. Esta perspectiva es mucho más efectiva que intentar venderse como un redentor.

- **PLANEE SUS RESPUESTAS A NUMEROSAS SITUACIONES DISTINTAS CON ANTELACIÓN.** Asuma que algunas de estas preguntas se referirán a áreas de conocimiento o habilidades que usted aún debe desarrollar, así que aprenda tanto como pueda y busque una estrategia para encontrar la información o los recursos de los cuales ahora carece.

¿Por qué nosotros?

En la mayoría de los encuentros de box, los primeros dos *rounds* son un tanto aburridos. Los boxeadores invierten tiempo en analizarse y probar los golpes frontales o los ascendentes de su contrincante antes de que comience el verdadero combate.

Lo mismo podría decirse de la mayoría de las entrevistas. Después de la primera campanada comienzan las amabilidades. La segunda campana avisa la ronda de preguntas destinadas a conocerlo. Después, si el entrevistador piensa que vale la pena, comenzará a golpearlo con preguntas cuya intención es separar a los aficionados de los verdaderos contendientes.

Si usted ya respondió con confianza a una docena o más de preguntas, está en el nivel de los golpes. Su oportunidad de danzar alrededor de las preguntas abiertas se ha terminado. Con el propósito de llegar al final del combate, necesita demostrar verdaderos conocimientos.

¿SABE USTED MUCHO ACERCA DE NUESTRA EMPRESA?

¿QUÉ QUIEREN ESCUCHAR?

Lo crea o no, muchos candidatos piensan que ésta es una pregunta para romper el hielo y sólo responden: "No".

¡No siga su ejemplo! Después de todo, ¿por qué acudiría usted a uno de los encuentros más importantes de su vida con tan poca preparación? Y después, ¿admitirlo?

Yo lo invito (más bien, lo obligo) a hacer su tarea. Aquí es donde su investigación dará sus frutos. Mencione un par de hechos sobresalientes y positivos acerca de la empresa y después dispare una pregunta hacia la cancha del entrevistador que demuestre su interés. Por ejemplo:

"¡Guau! ¡Vaya que si han crecido en esta compañía! Hace poco leí que han tenido siete años seguidos de crecimiento de dos dígitos. Además, por su reporte anual me enteré de que planean introducir una nueva línea de productos en un futuro cercano. ¿Puede decirme un poco más acerca de esa división y del puesto disponible?"

 LUZ VERDE

Cualquier respuesta que demuestre su investigación previa. Mientras más informado esté, más probable será que termine en la parte superior de la lista de empleados potenciales.

Una respuesta detallada que indique la profundidad de su investigación, desde revisar la página web de la empresa en Internet hasta leer su reporte anual y familiarizarse con sus productos y servicios. Hacer referencia a un artículo de revista sobre comercio que mencione a la empresa o, mejor aún, al entrevistador, es un toque distinguido, ¿no le parece?

VARIACIONES

- ¿Qué sabe usted acerca de la comunidad o ciudad en donde nos localizamos?
- ¿En cuál de nuestras oficinas preferiría usted trabajar?
- ¿Sería un problema para usted viajar entre algunas de nuestras oficinas?

¿TIENE USTED ALGUNA PREGUNTA?

¿QUÉ QUIEREN ESCUCHAR?

Por lo regular, esta pregunta surge muy cerca de la conclusión de la entrevista. De hecho, usted bien podría asumir que su aparición es una clara señal del final. No obstante, dado que hemos hablado acerca de la importancia de su investigación previa, éste es tan buen momento como cualquier otro para responder esta pregunta.

Nunca, repito, nunca responda con un "no". ¿Cómo puede usted tomar una de las decisiones más importantes de su vida, como trabajar en esa empresa, sin saber más?

Incluso si cree que está seguro de obtener el empleo y de que tiene claras las responsabilidades que implica, debe hablar ahora. Si no lo hace, el entrevistador asumirá que no le interesa. Y ése podría ser el beso de la muerte para usted como solicitante, incluso a este nivel tan avanzado.

¿QUÉ DESEA SABER?

Es fácil perderse en el desafío de impresionar al entrevistador con sus brillantes respuestas, por lo que es importante no perder de vista que usted tiene una meta: determinar si esa situación es la adecuada para usted y si ese empleo está a la altura de sus talentos y compromiso.

Con ello en mente, he aquí algunas preguntas que yo querría hacer:

"¿Puede darme una descripción formal por escrito del puesto? Me gustaría revisar a detalle las actividades principales que implica y los resultados esperados".

Ésta es una buena pregunta para el entrevistador telefónico pues le ayudará a prepararse para enfrentar al gerente contratante. Si no existe una descripción del puesto por escrito, pida que le dicte una tan completa como le sea posible.

"¿Este puesto por lo regular conduce a otros en la empresa? ¿A cuáles?"

Usted no desea encontrarse en un puesto que no le brinde la opción de crecer, de manera que investigue cómo puede progresar después de dominar ese puesto. ¿Qué ocurrió con la persona a quien usted sustituiría? ¿Sigue en la empresa? Si es así, ¿qué es lo que hace ahora?

Intente continuar con esta línea de preguntas sin dar la impresión de que está impaciente por dejar un puesto que aún no tiene. Si hace estas preguntas con cortesía, su ambición será comprendida y hasta bienvenida.

"Hábleme acerca de las habilidades o atributos parti-
culares que desea en un candidato para este puesto".

La respuesta del entrevistador deberá indicarle cómo se evaluarán sus características. Con esa información, usted puede enfatizar aquellas características que posea al cierre de la entrevista para terminarla con una alta calificación.

"Por favor cuénteme un poco acerca de las personas
con quienes trabajaría más estrechamente".

¡Me hubiera gustado que alguien me hablara de esta pregunta antes de mi última entrevista de trabajo! La respuesta puede indicarle muchas cosas, como qué tan buena es en su trabajo la gente con la que podría colaborar y cuán probable es que usted aprenda de ella. Lo más importante que descubrirá es si el gerente contratante siente entusiasmo por su equipo.

Por lo regular, un gerente contratante pone su mejor cara durante una entrevista, tal como usted lo hace como candidato. No obstante, sorprenderlo con la guardia baja con esta pregunta puede darle una idea de los sentimientos reales detrás de ese falso rostro.

Si el gerente contratante no parece entusiasta, quizás a usted no le resulte agradable formar parte de su equipo, pues tal vez le atribuya muy pocos éxitos y muchos dolores de cabeza a la gente que trabaja para él.

"¿Qué es lo que más le gusta de esta empresa y
por qué?"

Si el entrevistador duda y titubea mucho para responder esta pregunta, podría indicar que no le gusta mucho la empresa. Si al instante se muestra entusiasta, su respuesta puede ayudarlo a venderse a él y a la empresa.

La respuesta a esta pregunta puede también significar una buena referencia sobre los valores de la organización y del gerente contratante. Si éste sólo habla acerca de los productos y de lo bien que se han comportado sus acciones en el mercado, indica una falta de interés por el lado personal del negocio.

> *"¿Qué rango ocupa la empresa dentro de la industria? ¿Esa posición indica algún cambio en referencia al lugar que ocupaba años atrás?"*

Usted ya debe tener información al respecto gracias a su investigación previa, en especial si la compañía es pública. Si ya cuenta con esta información, adelante, utilícela en su pregunta:

> *"He leído que la empresa ha incrementado su participación de mercado del quinto al segundo lugar en los últimos tres años. ¿Cuáles son las razones principales para este éxito tan notable?"*

De nuevo, esta pregunta demuestra que usted ha hecho su investigación, ¡y que está dispuesto a demostrarlo!

Ni se atreva a preguntar por los días feriados, vacaciones, puentes, reportes de enfermedad, días personales, etcétera. ¡Parecerá que busca la manera de salir de la oficina antes de entrar!

Ésta es la lista de preguntas más apropiada que puedo sugerir. De nuevo, intente investigar las respuestas antes de la entrevista. Quizás esto no siempre sea posible, en especial si usted solicita empleo en una compañía pequeña y privada.

PREGUNTAS ACERCA DE LA EMPRESA

- ¿Cuáles son los productos o servicios principales de la empresa? ¿Qué tipo de productos o servicios planean introducir al mercado en el futuro inmediato?

- ¿Cuáles son los mercados clave de la empresa? ¿Están en crecimiento dichos mercados?

- ¿Incursionará la empresa en nuevos mercados en los próximos dos años? ¿Cuáles serían y a través de qué tipo de canales de distribución?

- ¿Qué rango de crecimiento anticipan ustedes en la actualidad? ¿Se logrará este crecimiento a nivel interno o a través de adquisiciones?

- ¿Quién es el propietario de la empresa?

- Por favor cuénteme acerca de su experiencia en la empresa XYZ.

- ¿Cuántos empleados trabajan para la organización? ¿En cuántas oficinas? ¿En esta oficina?

- ¿Planea la empresa crecer a través de adquisiciones?

- ¿Cuál ha sido la historia general de la empresa en los últimos cinco años? ¿Anticipa usted algún recorte de personal en un futuro cercano y, si es así, cómo afectaría a mi departamento o puesto?

- ¿Qué conflictos o desafíos mayores ha enfrentado la empresa en épocas recientes? ¿Cómo se resolvieron? ¿Qué resultados espera usted?

- ¿Cuál es la participación de mercado de la empresa en cada uno de sus mercados?

- ¿Qué otras compañías que atienden a esos mercados representan una amenaza seria?

- Por favor, hábleme un poco más acerca de sus programas de capacitación.

- ¿Cuál es su política de contratación?

- ¿Cuáles son los planes y proyectos de la compañía en cuanto a crecimiento y expansión?

- ¿Cuáles son las metas de la empresa en los siguientes años?

- ¿Qué es lo que más le gusta de la empresa? ¿Por qué?

- ¿Cuál es el rango de la compañía dentro de la industria? ¿Representa un cambio respecto del lugar que ocupaba hace uno o varios años?

PREGUNTAS ACERCA DEL DEPARTAMENTO O DIVISIÓN

- ¿Me podría decir cuál es la estructura organizacional del departamento, sus funciones y responsabilidades primordiales?

- ¿A quién le reportaría? ¿A quién le reporta esa persona?

- ¿Con cuáles otros departamentos trabaja más de cerca ese departamento?

- ¿Cuánta gente trabaja sólo en ese departamento?

- ¿Qué problemas enfrenta ese departamento? ¿Cuáles son sus metas y objetivos actuales?

PREGUNTAS ACERCA DEL TRABAJO

- ¿Qué tipo de capacitación podría esperar y durante cuánto tiempo?

- ¿Cuánta gente me reportaría?

- ¿La reubicación es una opción, una posibilidad o un requerimiento?

- ¿Cómo fue que se abrió esta vacante? ¿Promovieron a la otra persona? ¿Cuál es su nuevo cargo? ¿Fue despedida la otra persona? ¿Por qué?

- ¿Podré hablar con la persona que ocupó antes este puesto?

- ¿Está disponible alguna descripción del puesto por escrito?

- ¿Cómo describiría un día típico en este puesto?

- ¿Durante cuánto tiempo ha estado abierta la vacante?

- ¿A cuántos candidatos ha entrevistado? ¿A cuántos candidatos entrevistará antes de tomar una decisión?

- ¿Hay alguien dentro de la empresa que esté calificado para el puesto?

- Antes de llegar a una decisión de contratación, ¿cuántas entrevistas más tendré y con quién?

- ¿Dónde trabajaría? ¿Podría ver mi oficina o cubículo?

- ¿Cuán avanzado o actualizado es el equipo y los programas que se espera que utilice?

- ¿Cuánta autonomía tendré en el trabajo diario?

- ¿Este puesto por lo regular conduce a otros dentro de la empresa? ¿A cuáles?

- Por favor, cuénteme un poco sobre las personas con quienes trabajaría más de cerca.

 ## ¿QUÉ ES LO QUE MÁS LE INTERESA DE ESTE PUESTO Y DE NUESTRA EMPRESA?

 ## ¿QUÉ QUIEREN ESCUCHAR?

Usted ya descubrió la clave en los capítulos anteriores. Busca más responsabilidades, la oportunidad de supervisar a más personas y de desarrollar nuevas habilidades, además de agudizar las que ya ha adquirido. Y, desde luego, si ellos insisten en incrementar su salario, ¡usted no les dirá que no!

Sin embargo, este momento también es ideal para demostrar lo que sabe acerca de la empresa y cómo puede contribuir a su éxito ese puesto que a usted le interesa.

 ## LUZ VERDE

Armado con ese conocimiento, usted puede responder: "He escuchado hablar tanto de sus balines de titanio que deseo experimentar con ellos en diferentes aplicaciones", en lugar de: "Tendré un mejor sueldo si obtengo este empleo". Aunque no lo crea, ¡he escuchado esta respuesta en más de un candidato que he entrevistado! Quizá sea una respuesta honesta e incluso importante para el candidato, ¡pero sin duda no es lo que yo quería escuchar!

LUZ ROJA

Sea cuidadoso con cualquier respuesta que demuestre una clara incompatibilidad; si su interés primario se dirige hacia un área que sólo será periférica, cuando mucho, a su función real, usted sólo provocará un "Gracias, estaremos en contacto".

VARIACIÓN

- En una escala del 1 al 5, califique su interés en esta empresa o puesto.

 ## ¿QUÉ HA ESCUCHADO USTED ACERCA DE NUESTRA EMPRESA QUE NO LE GUSTE?

 ## ¿QUÉ QUIEREN ESCUCHAR?

Esta pregunta conlleva una trampa. Es obvio que usted desea minimizar las implicaciones negativas de cualquier pregunta, incluso ésta. Si no ha recibido ninguna noticia desalentadora, usted podría preguntar acerca de la falta de los programas más actualizados o expresar su deseo de que las utilidades de la empresa fueran un poco más predecibles.

Desde luego, la existencia de noticias reales cambiará su respuesta. Quizás ha escuchado que la empresa ABC tuvo un recorte de personal un año atrás y usted se pregunta si la situación ya está en calma, o tal vez haya escuchado rumores acerca de una fusión.

No finja demencia. En ambos casos, cualquier aspirante tendría sus reservas acerca de la estabilidad de la empresa y sus planes para el futuro. Si el entrevistador abre la puerta para que usted formule preguntas que de otra manera serían incómodas, aproveche la oportunidad para entrar.

Sólo trate de no azotar la puerta en sus propias narices al introducir una negativa rotunda: "No estoy seguro de que me guste el hecho de reportarle a tres ejecutivos diferentes", o "¿Es posible programar una revisión de salario a los 30 días?".

 ÉSTA ES UNA EMPRESA MUCHO MÁS GRANDE O PEQUEÑA QUE LA COMPAÑÍA PARA LA CUAL TRABAJABA. ¿CUÁL ES SU SENTIR AL RESPECTO?

 ¿QUÉ QUIEREN ESCUCHAR?

Si la empresa es más grande, usted, sin duda alguna, está en busca de magníficas oportunidades de crecimiento y exposición a más áreas de conocimiento que las que tiene en la actualidad.

Si la empresa donde pretende trabajar es más pequeña, usted está en busca de organizaciones menos burocráticas en las que se puedan tomar decisiones con mayor rapidez y donde los departamentos no sean tan grandes de tal manera que su gente desconozca la operación de toda la empresa.

 ¿QUÉ ESPERA DE SU SIGUIENTE EMPLEO?

 ¿QUÉ QUIEREN ESCUCHAR?

Como es obvio, usted debe elaborar su respuesta según la vacante disponible, pero absténgase de responder con una versión reorganizada de la descripción del puesto.

Por lo regular, los entrevistadores formulan preguntas de este tipo para medir su nivel de interés en el empleo y para averiguar si tiene alguna duda, así que enfóquese en el puesto que desea. Piense en las habilidades que el empleo exige y haga énfasis en su interés por tener la oportunidad de desarrollar, o desarrollar más, alguna de ellas. No olvide expresar entusiasmo por su área de trabajo. He aquí un ejemplo:

> *"En mi puesto actual como asociado de desarrollo de investigación, investigo oportunidades de financiamiento gubernamentales y corporativas y elaboro las propuestas de acuerdos. Disfruto mucho mi trabajo pero mi contacto con donadores potenciales ha sido limitado. Busco un puesto que me brinde más oportunidades para trabajar con los donantes, afianzar su apoyo y asegurarme de que sus contribuciones sean reconocidas".*

> *"He tenido algunas oportunidades de hacerlo con mi empleador actual y, con base en el éxito que he tenido, sé que puedo cumplir con la misión de la organización de obtener el apoyo corporativo necesario".*

VARIACIONES

- Si pudiera obtener cualquier empleo en el mundo, ¿cuál sería?
- Si pudiera trabajar para cualquier empresa del mundo, ¿cuál sería?

Éste no es el momento de ponerse filosófico acerca de sus sueños, por no hablar de sus fantasías. Bien puede albergar el anhelo de trabajar en París, pero si la empresa en la cual se entrevista no tiene oficinas en París, ¿para qué se molesta en mencionarlo?

Por otra parte, no suele ser muy creíble que le diga al entrevistador, con evidente intención, que ésa es la empresa de sus sueños.

Dado que casi cualquier respuesta que ofrezca sólo lo meterá en proverbiales problemas, mejor sería que buscara una manera de eludir la pregunta tan pronto como pueda.

 ¿CUÁLES CARACTERÍSTICAS DEL EMPLEO QUE LE DESCRIBÍ LE PARECEN MENOS ATRACTIVAS?

 ¿QUÉ QUIEREN ESCUCHAR?

Permítame comenzar con un poco de humor. Cierto día, después de conversar un rato con su amigo irlandés, un hombre explotó en consternación: "¿Por qué los irlandeses responden siempre a una pregunta con otra pregunta?". Impávido, el irlandés hizo un guiño y replicó: "¡Ah!, ¿sí?".

Su mejor táctica es seguir este ejemplo: ¡Devuélvale la pregunta al entrevistador! Por ejemplo, usted podría decir:

> *"Usted ha descrito un puesto en el cual supervisaré cantidades extraordinarias de productos terminados. ¿Qué tipo de procedimientos de control de calidad tiene esta empresa? ¿Podré consultar a los especialistas internos?"*

A semejanza de una de las preguntas anteriores, "¿qué ha escuchado usted acerca de nuestra empresa que no le guste?", yo presumiría que ésta también exige una respuesta verdadera. Si no va a aceptar el empleo, aunque el entrevistador no lo sepa, por lo que usted cree que es un error fundamental en el puesto o en la empresa, un buen entrevistador querría saberlo.

El resultado sería uno de estos tres escenarios:

- ● Usted revelará una objeción que no es válida. Una vez que el entrevistador le responda, usted será de nuevo un candidato interesado en el puesto.

- ● Usted revelará una objeción válida que hará que el entrevistador lo elimine de sus consideraciones.

- ● Usted revelará una objeción válida que hará que usted mismo se elimine de las consideraciones del entrevistador.

 CON BASE EN LO QUE USTED SABE ACERCA DE NUESTRA INDUSTRIA, ¿CÓMO SE RELACIONA SU EMPLEO IDEAL CON LA DESCRIPCIÓN DEL PUESTO AL CUAL ASPIRA?

 ¿QUÉ QUIEREN ESCUCHAR?

Su empleo ideal siempre es aquel en el cual usted tenga una amplia gama de responsabilidades que le permitan continuar con su aprendizaje relacionado con su industria y con el desarrollo de sus habilidades, así que utilice su conocimiento acerca de la industria para formular una respuesta que, a pesar de ser un poco idealista, no suene poco realista:

"Sé que los ingresos de muchos despachos contables provienen cada vez más de sus servicios de consul-

toría. Me gustaría ocupar un puesto que combinara mi experiencia en contabilidad de costos con consultoría a clientes y solución de problemas. En términos ideales, me gustaría comenzar como parte de un equipo y después adquirir práctica en un área específica, como contabilidad de costos en ambientes de manufactura".

Ahora, con base en lo que ya sabe acerca del puesto, mencione una, y sólo una, carencia menor; después formule preguntas cautelosas acerca de algunos aspectos del puesto que ignore. Con el mismo ejemplo anterior, usted podría decir:

"Sé que este puesto corresponde al área de auditoría y que ustedes contratan a la gente de primer ingreso para ese departamento. Debo confesar que me gustaría que esto fuera un escalón para trabajar más en el área de manufactura y, varios años después, en consultoría. Estoy consciente de que aún no cuento con los conocimientos ni con la experiencia requeridos. ¿Es éste un puesto en el cual pueda adquirir experiencia y es ésta una perspectiva de carrera posible en esta firma?"

 ¿CÓMO MANEJARÁ LOS ASPECTOS MENOS INTERESANTES O MÁS DESAGRADABLES DE ESTE EMPLEO?

 ¿QUÉ QUIEREN ESCUCHAR?

Por lo regular, el entrevistador que formule esta pregunta proporcionará detalles específicos del puesto, como: "Usted no siempre buscará soluciones creativas para los problemas fiscales de los clientes. La mayor parte del tiempo, usted producirá ingresos y se asegurará de cumplir con las últimas leyes. Ya lo sabe, ¿no es cierto?". A lo cual podría responder:

> *"Estoy consciente de que todo trabajo en el campo de la contabilidad tiene tareas rutinarias que deben hacerse. El hecho de realizarlas forma parte de la satisfacción por el trabajo bien hecho y hace que las poco frecuentes ocasiones en que podemos ser creativos sean aún más satisfactorias".*

 USTED TIENE POCA EXPERIENCIA EN PRESUPUESTOS O EN VENTAS O EN LO QUE SEA. ¿CÓMO PRETENDE APRENDER LO QUE NECESITA SABER PARA DESEMPEÑAR ESTE TRABAJO?

 ¿QUÉ QUIEREN ESCUCHAR?

> *"Bueno, a lo largo de mi carrera he demostrado que aprendo con rapidez. Por ejemplo, cuando se automatizó el sistema de inventarios de mi empresa, yo no tuve tiempo de asistir a la capacitación; sin embargo, la empresa que nos proporcionó los programas desarrolló algunos tutoriales y manuales de entrenamiento. Yo los estudié y practiqué en casa. Espero hacer algo similar para aprender las bases de su sistema de presupuestos".*

También podría mencionar otras opciones, como aprender en publicaciones y seminarios profesionales. Su interlocutor quiere asegurarse de que usted no sólo se sentará a tronar los dedos y a quejarse de que no sabe qué hacer ahora, sino de que planea hacer lo que sea necesario para aprenderlo todo durante su permanencia en la empresa.

Ahora, ¿cómo puede aprovechar la oportunidad? Si no sabe tanto como desearía acerca del puesto al cual aspira, invierta algo de tiempo en estudiar publicaciones sobre la industria. Concéntrese en artículos escritos para ayudar a las personas que desempeñan este tipo de trabajos a resolver problemas comunes o en aquellos que sugieren consejos, trucos y herramientas diseñadas para incrementar la eficiencia cotidiana.

Usted desea demostrar que está dispuesto a enfrentar una situación difícil con el aplomo esperado.

También es buena idea actualizar sus conocimientos y habilidades. A los entrevistadores les gusta proponer problemas que pueda resolver allí mismo. La intención de esto es demostrar sus aptitudes en las áreas más importantes del trabajo.

La preparación hace la perfección. Si usted no ofrece ningún resultado o utiliza un hecho o fórmula de manera errónea durante alguno de esos ejercicios, será muy difícil, si no es que imposible, que recupere su credibilidad. Ésta sería una experiencia muy desafortunada después de haber llegado tan lejos.

Cuidado: distintas empresas podrían utilizar términos diferentes para el mismo procedimiento o material, así que explique abiertamente su terminología para asegurarse de que ambos se comunican con claridad.

 ¿CUÁNTO TIEMPO PLANEA USTED PERMANECER CON NOSOTROS?

 ¿QUÉ QUIEREN ESCUCHAR?

Una respuesta que, en lo personal, no deseo escuchar es "para siempre" porque no la creo y porque dudo de la inteligencia de un candidato que piensa que eso es lo que quiero que me diga. Usted debe ofrecer una respuesta simple, similar a ésta: "por tanto tiempo como pueda crecer, aprender y contribuir de maneras que ustedes consideren valiosas".

No estoy seguro de si esta pregunta le proporciona alguna información útil al entrevistador, porque cualquier candidato lo bastante ingenuo o estúpido como para responder: "¡Oh!, un par de meses hasta que encuentre un empleo que sí me guste" no debió superar el proceso inicial o, para el caso, las primeras diez preguntas de la entrevista. No obstante cuide que su lenguaje corporal no revele su verdadera intención. Menearse de un lado a otro implica: "¡Oh!, un par de meses hasta que encuentre un empleo que sí me guste".

Si usted ya parece ser una persona que salta de un empleo a otro y ya declamó el consabido discurso de "por tanto tiempo como pueda crecer..." etc., que no le sorprenda si el entrevistador pregunta: "¿Eso fue lo que dijo en sus cuatro empleos previos?". Haga lo que haga, no responda: "Sí, ¡y todos me creyeron!".

¿QUE LE HA PARECIDO ESTA ENTREVISTA?

¿QUÉ QUIEREN ESCUCHAR?

Bueno, sus opciones no son muy buenas, ¿verdad? Decir: "mal" no parece apropiado, pero "grandioso, señor, ¿puedo lustrar sus zapatos?" resulta demasiado lisonjero. No existe una respuesta correcta, tal como las preguntas hipotéticas en una entrevista situacional, así que absténgase de responder y mejor haga una pregunta.

AHORA, PREGUNTAS PERSONALES

La mayoría de la gente cree que el candidato que sólo habla de trabajo, trabajo, trabajo, tiene más probabilidades de obtener el empleo, pero hay un "usted" que existe después de las cinco de la tarde y muchos entrevistadores querrán conocer también a esa persona.

El principio guía para responder a las preguntas personales es el mismo para contestar las referentes a la experiencia profesional: haga énfasis en lo positivo. Deje ver los mejores y más interesantes aspectos de su personalidad.

Sólo evite hablar demasiado. Sus respuestas pueden revelar más información de la que se debería dar a saber. Por ejemplo, en la atmósfera cálida de la entrevista, usted puede sentirse cómoda al hablar de sus hijos y de los desafíos que representa ser madre soltera.

Sin embargo, una vez que esa información ha sido revelada, es válido indagar al respecto y puede ser utilizada para elaborar juicios injustos sobre su habilidad para atender diversos aspectos del trabajo. Si el empleo al cual aspira implica algunos viajes de un par de días, por ejemplo, el entrevistador puede decidir que su situación familiar podría crear dificultades innecesarias.

A pesar de que estas preguntas pueden darle la oportunidad de demostrar la grandiosa persona que es usted, ¡también pueden motivarlo a proporcionar información que podría arruinar su solicitud!

A SU SALUD

Los empleadores tienen un interés más que secundario en su salud. La mayoría de las empresas buscan impedir que los costos generales de seguros médicos lleguen a los cielos. Muchos de los gerentes desean saber que usted no se contagiará con cualquier bicho de gripe que vuele por allí y que se reporte enfermo cuando más lo necesiten.

¿ESTÁ USTED SANO? ¿QUÉ HACE PARA MANTENERSE EN FORMA?

Usted deberá ser honesto al responder esta pregunta. Los empleadores potenciales pueden encontrar la manera de conocer su historial médico si les interesa saber acerca de su salud. De hecho, muchos solicitan que se someta a un examen físico.

Si su apariencia indica que le dedica atención a su buena salud, aliviará muchas de sus preocupaciones. No tiene que ser adicto al ejercicio, sólo hable acerca de cualquier tipo de actividad que realice con regularidad y que le aporte al menos algún beneficio de salud, como jardinería, reparaciones en casa o sólo sacar a pasear al perro.

¿TIENE USTED ALGÚN PROBLEMA FÍSICO QUE PUDIERA LIMITAR SU HABILIDAD PARA DESEMPEÑAR EL TRABAJO? SI ES ASÍ, ¿QUÉ TIPO DE DISPOSICIONES SERÍAN NECESARIAS?

Ésta es una pregunta legítima que el entrevistador puede hacerle, así que sea honesto. ¿Solicita usted un empleo en el cual es necesario capturar muchos datos a pesar de librar una batalla continua contra el síndrome del túnel carpiano? ¿Tanto caminar y estar parado agravará su problema en la rodilla?

Sin embargo, recuerde que las palabras clave son: "habilidad para desempeñar el trabajo". Revelar un problema físico que no se relacione con el empleo no es pertinente... y no es asunto del entrevistador.

¿CÓMO EQUILIBRA EL TRABAJO Y LA FAMILIA?

¿QUÉ QUIEREN ESCUCHAR?

Vaya, cuestionamiento capcioso. Sin duda es difícil si usted no pretende traer a colación cualquier asunto relacionado con su familia. ¿Por qué querría evitar dicha discusión? Si ha vivido algunos años y tiene algo de experiencia, quizá sienta una preocupación legítima por el hecho de que el entrevistador tenga ciertas reglas no escritas, como no aceptar padres solteros en puestos que requieran que se viaje o, para el caso, no aceptar padres si los viajes exceden determinado porcentaje del tiempo de trabajo.

Por lo anterior, si intenta dar una respuesta que revele tan poco como sea posible, intente algo como lo siguiente:

> *"He sido un empleado dedicado, leal y trabajador a lo largo de mi carrera y ningún aspecto de mi vida personal, llámese familia, obligaciones, pasatiempos o trabajo voluntario, ha afectado mi desempeño. No permitiría que eso sucediera".*

¿QUÉ LE GUSTA HACER CUANDO NO TRABAJA?

¿QUÉ QUIEREN ESCUCHAR?

Muchos empleadores creen en la teoría de: "si quieres que algo se haga bien, pídeselo a una persona ocupada". Por tanto, usted deseará presentarse como un individuo activo y vital. Aproveche esta oportunidad para pintar un retrato de una persona equilibrada.

Asegúrese de enfatizar aquellas actividades que complementen sus tareas laborales. Por ejemplo, si usted aspira a un puesto como gerente en una librería, el hecho de mencionar que lee tres libros por semana es muy apropiado. Su adicción a esquiar en helicóptero quizá no lo sea, ¡para ningún empleo!

VARIACIONES

- ¿Cuáles son sus pasatiempos?
- ¿Qué le gusta hacer en sus horas de descanso?

 LUZ VERDE

Evite las controversias. Un candidato experimentado citará "leer" y "jugar tenis", por ejemplo, en lugar de: "saltar en el *bungee*", "protestar en las clínicas que practican abortos" o "recolectar fondos para un partido en específico". ¿En verdad quiere que los intereses de su vida personal interfieran entre usted y el empleo que desea? Entonces no alardee de actividades que pudieran causar que un empleador quisquilloso se imagine largas ausencias por enfermedad o continuos problemas legales.

Por lo general es seguro hablar sobre la mayoría de las prácticas deportivas, participar en deportes de equipo, entrenar niños o permitirse actividades como nadar, correr, caminar o pasear en bicicleta. Evite hacer énfasis en actividades que pudieran causar preocupación o controversia, como el paracaidismo o la cacería.

Como regla general, a los empleadores les agradan las actividades que indican que usted es una persona comprometida con su comunidad. Su participación en la cámara de comercio, el club Rotario o en la recolección de fondos para obras de caridad puede hacerle ganar algunos puntos. Sin embargo, evite mencionar cualquier actividad religiosa o política que pudiera causar un sobresalto al entrevistador. Estructure su respuesta con cuidado de manera que usted no:

- Suene como un adicto al sofá: "Soy fanático de los Gigantes. Nunca me pierdo un solo partido. También veo cada episodio de mis tres series televisivas favoritas y grabo las novelas cada tarde para verlas durante el fin de semana".

- Parezca a punto de un colapso: "Juego tenis, entreno un equipo de *softball*, estoy en el comité directivo del museo local, planeo lanzarme como candidato para el consejo de la ciudad este otoño y, en mi tiempo libre, asisto a conferencias sobre egiptología en la universidad". ¡Guau! ¿Cómo encuentra el tiempo y la energía para trabajar?

- Alardee de actividades peligrosas: "Me gusta ponerme retos. El próximo fin de semana me inscribiré a mi siguiente salto en paracaídas. Necesito algo que me mantenga encendido hasta que comience la siguiente temporada de *rugby*".

- Mencione intereses controvertidos que pudieran resultar objetables para el entrevistador: "Siempre estoy en primera fila en las manifestaciones de Greenpeace", o "Dono todo mi dinero para apoyar la cruzada para convertir al mundo a la religión (llene el espacio)".

CONSEJOS PARA PREGONAR SUS PROEZAS SIN PARECER PRETENCIOSO

- **NO EXAGERE.** Sólo a las personas más desagradables les resulta fácil hablar de sí mismas de manera halagadora y eso es justo lo que usted ha hecho a lo largo de la entrevista; es decir, pregonó sus proezas hasta que incluso usted desea cambiar de tema.

- **DESTAQUE LAS CARACTERÍSTICAS QUE LA EMPRESA BUSCA.** Me refiero al entusiasmo, la confianza, la energía, la confiabilidad y la honestidad. Formule respuestas que sugieran esas características. Piense qué desearía en un empleado ideal si usted fuera dueño de una empresa. ¿Querría usted a un solucionador de problemas? ¿A una persona que sepa trabajar en equipo? ¿A un individuo entusiasta que trabaje duro para alcanzar metas?

- **SEA CREATIVO.** Un amigo mío tuvo que trabajar mucho durante sus estudios universitarios. En lugar de participar en actividades extracurriculares o en prácticas profesionales sin sueldo o con sueldo muy bajo, él trabajaba en una gasolinera o acomodaba los estantes de un supermercado durante el verano. Cuando le preguntaron por qué no había realizado prácticas profesionales, él ya se había preparado para responder:

  "Me hubiera gustado tener más tiempo para escribir para el periódico escolar. Cuando no estudiaba, tenía que trabajar para pagar la universidad, pero aprendí más cosas en los trabajos que realicé que mucha gente después de muchos años de carrera profesional, como trabajar con otras personas y administrar mi tiempo de manera efectiva".

MÁS CONSEJOS PARA UNA ENTREVISTA EXITOSA

- **FORMULE SUS RESPUESTAS DE ACUERDO CON EL PUESTO.** Aprenda tanto como pueda acerca del puesto que le interesa antes de presentarse a la entrevista. Cuando destaque sus logros, habilidades y experiencia, relaciónelos con las necesidades, los deseos y las metas de la empresa.

- **PIENSE EN TÉRMINOS DE QUÉ Y POR QUÉ.** Mientras anuncia sus proezas o murmura sus errores, haga énfasis en las lecciones positivas que haya aprendido de cada situación y cómo las ha aplicado o planea hacerlo en su próximo empleo.

- **NO EXAGERE.** Sus logros y responsabilidades deben hablar por sí mismos. Si siente que le faltó una oportunidad para dejar su huella en su puesto anterior, dígalo pero no altere la verdad; un entrevistador experimentado encontrará la manera de descubrirlo. No aprenda la lección de la manera dura, ¡quizá le cueste el empleo!

- **NO PAREZCA DESESPERADO...** incluso si su último empleo fue hace meses. Para algunos entrevistadores, "desesperado" equivale a "barato", en caso de que en verdad quieran contratarlo. Pero tampoco parezca tan complacido consigo mismo. Concéntrese en expresar su genuino interés y entusiasmo por las oportunidades inherentes a la vacante disponible.

- **EVITE LO NEGATIVO.** Usted desea que el entrevistador sólo asocie palabras, pensamientos y características positivas con usted.

- **DESTAQUE LO MEJOR DE SU POSICIÓN AC-TUAL.** Transmita que usted es una persona positiva que siempre obtiene lo mejor de cualquier situación. Mientras peor sea su situación, mejor será la impresión que dé al entrevistador.

- **CONSTRUYA UN VOCABULARIO DE PALABRAS DE ACCIÓN** y utilícelas de manera consistente en su currículum, carta de presentación, cartas de seguimiento y durante sus entrevistas. Consulte la siguiente lista:

PALABRAS CON IMPACTO PROFESIONAL

Aceleré	Efectivo	Minucioso
Actualicé	Eficiencia	Modifiqué
Administré	Eliminé	Motivé
Ajusté	Encabecé	Negocié
Alcancé	Enfoqué	Operé
Analicé	Entregué	Organicé
Aprobé	Establecí	Perfeccioné
Asesoré	Evalué	Persuadí
Aumenté	Examiné	Planeé
Calculé	Expandí	Preciso
Capacité	Formulé	Preparé
Compilé	Fortalecí	Presenté
Comuniqué	Fundé	Probé
Concebí	Gané	Procesé
Conceptualicé	Generé	Produje
Concilié	Guié	Programé
Conduje	Habilidad	Promoví
Consolidé	Identifiqué	Proporcioné
Construí	Implementé	Recomendé
Consulté	Incrementé	Reduje
Controlé	Inicié	Reorganicé
Coordiné	Instalé	Resolví
Creé	Instituí	Restauré
Desarrollé	Instruí	Revisé
Descubrí	Introduje	Sistemático
Destreza	Inventé	Supervisé
Detecté	Investigué	Terminé
Determiné	Lancé	Transformé
Dirigí	Logré	Utilicé
Diseñé	Mantuve	Vital
Disminuí	Mejoré	

CAPÍTULO

¿Inocente? No lo creo.

Como gerente de reclutamiento en una empresa bastante grande, una amiga mía invirtió muchas semanas en entrevistar multitudes de candidatos para una amplia variedad de vacantes. Con tanta práctica, ella adquirió gran destreza para identificar a los candidatos no adecuados y "deshacerse" de la incauta persona con un simple: "gracias por venir", ¡desde antes de comenzar la entrevista!

Éste es un ejemplo de cómo funcionaba: al saludar a una joven solicitante para un puesto de vendedora de campo una mañana, mi amiga preguntó: "¿Cómo estás?". De inmediato, la solicitante comenzó a quejarse de la lluvia y de que se le habían roto las medias.

Ésta fue la clave para mi amiga, quien miró a la candidata y, con fingida vergüenza, dijo: "Oh, ¿estás aquí para solicitar el puesto de vendedora de campo? Lo siento. Olvidamos llamarte. Ya contratamos ayer a una persona pero te tendremos en mente por si surgen puestos similares en el futuro. Gracias por venir".

NO DESPERDICIE SUS OPORTUNIDADES

Esta historia demuestra un hecho que muchos candidatos ignoran: no existen las preguntas inocentes o insignificantes. Usted será juzgado desde el instante en que el entrevistador lo vea o lo escuche a través del teléfono, hasta el momento en que se le ofrezca el empleo o lo acompañe a la salida. Muchos entrevistadores utilizan estas preguntas para romper el hielo en la creencia de que dan una impresión falsa e informal de "sólo conversemos, ¿de acuerdo?", y hacer que los candidatos bajen la guardia. Algunos solicitantes, rechazados tras unos cuantos minutos, más tarde descubren que esas inocentes preguntas destruyeron sus oportunidades de obtener el empleo. Las siguientes son preguntas de ese tipo para las cuales usted debe estar preparado.

 ¿CÓMO ESTÁ USTED HOY?

 ¿QUÉ QUIEREN ESCUCHAR?

Usted está muy bien, gracias, y no, ¡no tuvo ningún problema en absoluto! Y no tiene que comentarlo, sólo hágalo; eso se debe a que se tomó el tiempo de pedir instrucciones al asistente del entrevistador.

Una vez más, todo se refiere a ser positivo. No sugiero que imprima una sonrisa idiota en su rostro y hable como un eterno empleado conformista, sino que lo conmino a imprimir todo su esfuerzo en evitar que algo negativo intervenga en su interacción con el entrevistador, ¡ni siquiera el maldito clima!

Desde que mi amiga me contó esta pequeña anécdota, presto mucha más atención a las respuestas de los candidatos a estas preguntas insignificantes.

VARIACIONES

- ¿Tuvo algún problema para llegar?
- ¿Dónde se hospeda? ¿Le gustó el hotel?
- ¿Qué tal estuvo su vuelo?

¿CUÁL FUE EL ÚLTIMO LIBRO QUE LEYÓ?

¿QUÉ QUIEREN ESCUCHAR?

Lo que una persona elige para leer habla mucho acerca del tipo de individuo que es; pero antes de que recite su lista de lecturas, considere lo siguiente: sin importar si tienen razón o no, muchos entrevistadores piensan que la gente que lee libros que no sean literatura está más interesada en el mundo que los lectores literarios, quienes, según su opinión, sólo buscan una vía de escape.

Así que, en lugar de hablar acerca del último libro de suspenso que no podía soltar, opte por un popular libro de negocios, motivacional o tipo instructivo. Esto demostrará que usted está interesado en *Los 7 hábitos de la gente altamente efectiva* o *La disciplina de los líderes del mercado*, y que intenta incrementar sus conocimientos y habilidades como hombre o mujer de negocios.

¿CUÁL FUE LA ÚLTIMA PELÍCULA QUE VIO?

¿QUÉ QUIEREN ESCUCHAR?

Mencione una película popular pero no controversial. No es conveniente que se complazca en decir que fue *Viernes 13*, parte 86.

¿Quiere que su gusto por las películas experimentales o los documentales izquierdistas se interpongan entre usted y ese puesto? Es mucho mejor apegarse a las películas de Tom Hanks, como *Forrest Gump*. Si insiste en que sus preferencias no deberían importar, siéntase en libertad de hablar de *Nacidos para matar* o *Star Wars*.

VARIACIONES

- Nombre tres personas con quienes le gustaría ir a cenar.
- ¿A qué otra persona invitaría usted a una isla desierta?
- ¿Cuál es su libro favorito?
- ¿Quién es su autor favorito?
- ¿Quién es su actor favorito?
- ¿Cuál es su película favorita?
- ¿Cuál es su programa de televisión favorito?
- ¿Cuáles revistas lee usted con regularidad?
- ¿Por cuál medio se entera usted de las noticias?

¿DISCRIMINAR Y ELIMINAR?

En un mundo ideal, las empresas y los gerentes juzgarían a cada solicitante sólo con base en las habilidades y experiencia necesarias para realizar el trabajo, pero no debe sorprendernos el hecho de que la realidad está muy lejos de ese ideal. Muchos gerentes y empresas discriminan a la gente que tiene capacidades diferentes, a los mayores de 50 años, incluso a las mujeres, ¡porque dan por hecho que planean tener hijos mientras trabajan en su empresa!

Muy pocos de nosotros podemos decir que somos objetivos por completo al juzgar a otras personas, pero el hecho es que usted, como candidato para un trabajo, quizá deba responder preguntas relacionadas con su raza, nacionalidad, estado civil o financiero o incluso discapacidad, si ésta se relaciona con su desempeño en su trabajo.

Más allá de eso, vale la pena que usted conozca las regulaciones legales de su país o estado al respecto. Mientras tanto, éstas son algunas preguntas que podrían encender las alarmas de su cabeza durante la entrevista más amigable.

 ¿CUÁNTOS AÑOS TIENE?

La edad puede ser un tema muy importante para muchos empleadores. Quizá sea necesario que demuestre su mayoría de edad para comenzar a trabajar o exhibir un permiso de sus padres o de la autoridad competente para hacerlo en caso contrario. Por otra parte, si usted tiene entre cuarenta y sesenta años de edad, muchos empleadores podrían preocuparse por el decaimiento de su energía o por posibles problemas de salud. En muchos países, la ley permite preguntar la edad y de esto depende que usted tenga que responder o no. En cualquier caso, la edad, como la raza, es calculable y evidente.

Una vez más, haga de su edad una característica positiva y, tanto si tiene que decirla como si no, resalte los beneficios de su experiencia y asegure al empleador que usted tiene la misma vitalidad para trabajar que la que tenía cuando era más joven. Puede decir:

> *"Mientras más logros tengo, más eficaz me vuelvo.*
> *Cuando comencé a trabajar, estaba tan lleno de*

energía que era como una bala de cañón. Ahora descubro que puedo lograr más cosas en menos tiempo porque sé dónde buscar los recursos que necesito y cómo trabajar de manera eficiente con diferentes tipos de personas".

VARIACIONES

- ¿Cuándo nació?

- ¿Cuándo se graduó de bachillerato?

- ¿Cuándo se graduó de la universidad?

- ¿Su jubilación está próxima?

- ¿No es usted demasiado joven para solicitar un empleo con tantas responsabilidades?

- ¿No es usted demasiado maduro para una empresa tan cambiante como la nuestra?

 ## ¿ES USTED SOLTERO, CASADO, SEPARADO, DIVORCIADO?

Si esta pregunta es ilegal en su país, el entrevistador puede recurrir a estrategias sutiles para lograr que dé la información de manera voluntaria y después utilizarla para eliminarlo del proceso.

Tal vez usted esté casado, tenga hijos y se sienta orgulloso de ello pero resístase a la tentación de mostrar las últimas fotografías en Disneylandia. ¿Por qué? Después de todo, ¿qué podría ser más inocente que comentar acerca de su novia, esposa o hijos? ¿Qué hay de malo en comentarle a un posible empleador que planea tener un hijo en el transcurso de un año?

Quizá sea un dato inofensivo, pero usted nunca sabe cómo interpretará sus respuestas el entrevistador. Si usted planea tener un hijo en el transcurso de un año, por ejemplo, al entrevistador podría preocuparle su ausencia durante dos, tres o más meses. Si está comprometido para casarse, él podría asumir que estará tan involucrado en sus planes para la boda que su atención no se concentrará en el trabajo.

Es probable que le pregunten si puede y está dispuesto a vivir en otra ciudad, a viajar o a trabajar horas adicionales. Éstos pueden ser intentos velados de descubrir si usted tiene muchas obligaciones familiares pues, de hecho, quizá no tenga que viajar tanto o trabajar tantas horas adicionales.

TRANQUILÍCELO

En lugar de sólo rehusarse a responder una pregunta y crear tensión entre usted y el entrevistador, puede intentar tranquilizar la preocupación del empleador acerca de su situación. Por ejemplo, si el entrevistador insiste en conocer información acerca de sus hijos o si planea tenerlos, quizás esté preocupado por su compromiso con el trabajo. Usted podría responder algo como esto:

> *"Siento que a usted le preocupa mi habilidad en el trabajo regular y si haré lo necesario por cumplir con las fechas de entrega. Sólo permítame asegurarle que siempre he sido un trabajador confiable y que estoy comprometido a hacer mi trabajo bien y a tiempo. De hecho, nunca llegué tarde a trabajar a mi última compañía y fui consistente en el cumplimiento de mis proyectos mucho antes de la fecha límite".*

¿Lo ve? Sin responder nada acerca de responsabilidades familiares o hijos, usted atendió el problema real: la preocupación del empleador acerca de su compromiso con el trabajo.

VARIACIONES

- ¿Cuál cree usted que fue la causa de su divorcio?
- ¿Por qué nunca se ha casado?
- ¿Alguna vez estuvo casado?
- ¿Tiene planes de casarse?
- ¿Vive solo?
- ¿Tiene hijos?
- ¿Cómo prefiere que le llame: señorita o señora?
- ¿Es usted madre soltera?
- ¿Cuántas personas dependen económicamente de usted?
- ¿Quién es la cabeza de su familia?
- ¿Qué tipo de trabajo desempeña su cónyuge?
- ¿Cuánto tiempo pasa usted con su familia?
- ¿Cuál es la base de un matrimonio feliz?
- Hábleme sobre sus hijos.
- ¿Tiene usted una buena relación con sus hijos?
- ¿Tiene hijos que no vivan con usted?
- ¿Vive con sus padres?
- ¿Qué arreglos ha hecho para el cuidado de sus hijos?

- Mis hijos parecen contagiarse de cualquier enfermedad. ¿Los suyos también?

- Mi cónyuge odia que yo trabaje los fines de semana. ¿Y el suyo?

- ¿Practica algún método anticonceptivo?

- ¿Está usted embarazada?

- ¿Planea tener hijos?

- ¿El hecho de que viaje será un problema para su familia?

- ¿Es usted un hombre o mujer de familia?

 ## ¿CUÁL ES SU NACIONALIDAD?

Cuando se conozcan, usted no podrá evitar que el entrevistador saque conclusiones relacionadas con su genética basadas en el color de su piel, ojos o cabello, pero nunca ofrezca esa información por teléfono y procure omitir una fotografía antes de aceptar un empleo.

Digamos que su apellido es de evidente ascendencia italiana. Cuando se presenta con el entrevistador, éste comenta: "Rutigliano. Italiano, ¿cierto?". ¿Qué hace usted? Sólo sonríe con amabilidad... y no responde. Es posible que su interlocutor no se sienta ofendido.

Si no capta el mensaje y alude a su herencia italiana, usted puede decir: "En realidad no veo en qué se relaciona mi herencia con mi solicitud a este empleo". Si puede manejar la situación con diplomacia, no habrá momentos desagradables.

VARIACIONES

- Mmm, ése es un nombre italiano o griego, ¿no es cierto?
- ¿Qué idioma habla usted en casa?
- ¿De dónde son sus padres?
- ¿Dónde nació?
- ¿Dónde nacieron sus padres?
- ¿Cuál es su apellido de soltera?
- ¿Qué idioma hablan sus padres?
- ¿Sus padres nacieron aquí?
- Su acento es peculiar, ¿de dónde es?

 ## ¿CUÁL ES SU ORIENTACIÓN SEXUAL?

"Lo siento. Prefiero no hablar sobre ese tema."

VARIACIONES

- ¿Es heterosexual?
- ¿Es homosexual?
- ¿Es lesbiana?
- ¿Sale con otros hombres?
- ¿Sale con otras mujeres?
- ¿Vive con alguien?

- ¿Pertenece a algún grupo de homosexuales o lesbianas?

¿ES USTED JUDÍO, CRISTIANO, BUDISTA, ETCÉTERA?

"Lo siento. Prefiero no hablar sobre ese tema."

VARIACIONES

- ¿Qué hace usted los domingos por la mañana?

- ¿Puede trabajar los viernes por la tarde?

- Somos una empresa cristiana, judía, musulmana, etcétera. ¿Sería eso un problema para usted?

- ¿Es usted miembro de algún grupo religioso?

- ¿Qué religión practica?

- ¿Paga usted su diezmo?

- ¿Asisten sus hijos al catecismo?

- ¿Asisten sus hijos a la escuela hebrea?

- ¿Canta usted en el coro de la iglesia?

- ¿A qué iglesia pertenece usted?

- ¿Hay algún día en la semana en el cual usted no pueda trabajar?

- ¿El hecho de trabajar los fines de semana es un problema para usted?

- ¿Cuáles días feriados religiosos tendría usted que tomar?

- ¿A cuáles organizaciones pertenece?

- ¿Ha realizado alguna labor misionera?

 ## ¿TIENE USTED ALGÚN PROBLEMA FÍSICO?

Los entrevistadores sólo pueden preguntarle acerca de discapacidades físicas o mentales que afecten su desempeño en el trabajo de manera directa.

Su salud general no es un tema a discusión, aunque es posible que le soliciten que se someta a un examen físico después de recibir una oferta. El resultado de este examen debe estar relacionado con las funciones del puesto, de manera que el empleador tiene derecho de condicionar la oferta a dichos resultados.

Según el país donde se encuentre, quizá no le pregunten si:

- Padece una enfermedad mental actual.

- Ha recibido alguna compensación por incapacidad.

- Tiene problemas con el alcohol o las drogas.

- Es VIH positivo o padece algún síntoma relacionado con el SIDA.

UNAS PALABRAS SOBRE EL SIDA

Éste es aún un motivo de preocupación para los empleadores. A pesar de que la normatividad al respecto todavía está en desarrollo, las infecciones de VIH, el SIDA y los síntomas relacionados con dicho padecimiento todavía son considerados "discapacidades" en muchos países.

Si usted resultó positivo en VIH, SIDA o cualquier otra discapacidad en un examen médico previo a su contratación, el empleador no puede usar esa razón para retirar la oferta a menos que la enfermedad inhiba su capacidad para realizar el trabajo o represente una amenaza razonable para las personas que convivan con usted en el área de trabajo.

VARIACIONES

- ¿Tiene usted algún problema de salud?
- ¿Cuántos días se reportó enfermo el año pasado?
- ¿Gasta mucho dinero en medicamentos?
- ¿Puede leer las letras pequeñas en este documento?
- ¿Cómo está su espalda?
- ¿Puede escuchar bien?
- ¿Alguna vez le han negado un seguro médico?
- ¿Alguna vez le han negado un seguro de vida?
- ¿Cuándo fue la última vez que estuvo internado en el hospital?
- ¿Cuándo fue la última vez que asistió a una consulta médica?
- ¿Consulta a su médico con regularidad?
- ¿Está usted discapacitado?

 ## ¿A CUÁLES ORGANIZACIONES PERTENECE USTED?

Reflexione con mucho cuidado esta pregunta. Un empleador puede preguntárselo, pero sólo debe interesarle su participación en organizaciones, sociedades profesionales u otro tipo de agrupaciones consideradas importantes para su desempeño en el trabajo.

Es buena idea hacer a un lado el nombre de organizaciones que puedan dar claves de su raza, credo, color, origen, herencia, género o discapacidad.

 ## ¿ALGUNA VEZ HA ESTADO EN BANCARROTA?

En términos ideales, un empleador potencial no debería preguntarle cuánto gana ni sobre sus propiedades actuales o pasadas, su historial crediticio, si es dueño de una casa o cualquier otra información relacionada con bancarrotas anteriores, embargos, hipotecas, inversiones, etcétera. Sin embargo, es conveniente que usted consulte la legislación de su país a este respecto.

VARIACIONES

- ¿Tiene casa propia o la renta?
- ¿Tiene algún ingreso adicional?
- ¿Genera usted dinero a través de sus pasatiempos o inversiones?

 ## ¿ALGUNA VEZ HA SIDO ARRESTADO?

Una vez más, revise la legislación de su país o estado al respecto. En algunos sitios es probable que los contratantes tengan libertad de solicitar una investigación de los antecedentes penales de los candidatos.

CONSEJOS PARA ENFRENTAR PREGUNTAS PERSONALES

● **CONOZCA SUS DERECHOS.** Investigue cuáles son las preguntas que se consideran ilegales en su país, estado, industria o profesión.

● **NO DÉ LA PAUTA** a preguntas no permitidas. Es decir, no saque a colación temas de los cuales no desee hablar. Si lo hace, es probable que el entrevistador le haga preguntas que, de otra manera, podrían considerarse ilegales... si usted no los hubiera traído a la plática.

● **CAMBIE DE TEMA.** Si usted considera que el entrevistador le hace preguntas inapropiadas, el primer paso es intentar esquivarlas y cambiar la dirección de la conversación.

● **DÉLE EL BENEFICIO DE LA DUDA.** Después de todo, usted está aquí porque quiere el empleo, así que depende de usted sopesar sus reacciones personales a ciertas preguntas indagatorias contra su deseo de obtener el empleo. Muchos gerentes contratantes podrían no saber que actúan mal; por tanto, déles el beneficio de la duda.

● **ADVIERTA AL ENTREVISTADOR...** con sutileza. Dígale, sin implicar amenaza alguna, que sabe que esa pregunta no es apropiada. De esta manera, dejará claro que conoce sus derechos.

● **TERMINE LA ENTREVISTA.** Si el entrevistador se niega a retroceder, termine pronto la entrevista. Después de todo, ¿querría usted trabajar en una empresa o para una persona capaz de tener este tipo de criterios?

CAPÍTULO

¡El final!

De acuerdo, usted ha llegado hasta aquí y es probable que el empleo sea suyo. De cualquier manera, no queremos que arruine las cosas a estas alturas, ¿cierto?

Todavía no es momento de relajarse. Las preguntas de cierre de una entrevista deben manejarse con más cuidado. En resumen, es probable que aún le esperen algunas preguntas difíciles. Aquí van:

¿ESTÁ USTED DISPUESTO A VIAJAR?

¿QUÉ QUIEREN ESCUCHAR?

Sí, claro que está dispuesto. Su familia comprende las demandas de su carrera y lo apoya en su necesidad de pasar algún tiempo lejos de casa. ¿Significa eso que quiere estar lejos tres semanas de cada cuatro? Es probable que no. A menos que no esté dispuesto a viajar en absoluto, no permita que esta pregunta le cueste el empleo. Si el puesto requiere muchos más viajes de los que usted está preparado para aceptar, ¿qué hace en esa entrevista? Y si los requerimientos de viajes son una sorpresa para usted, ¿por qué no investigó antes al respecto?

Mientras más importantes sean los viajes para el puesto, más pronto le harán esta pregunta en la entrevista con el fin de eliminar a los candidatos demasiado apegados a su casa.

 ## ¿ESTÁ DISPUESTO A CAMBIAR SU LUGAR DE RESIDENCIA?

 ## ¿QUÉ QUIEREN ESCUCHAR?

Si lo está, dígalo:

> *"Claro que sí. De hecho, me gustaría vivir en otro lugar para poder experimentar un estilo de vida distinto y conocer gente nueva".*

Si no lo está, también dígalo:

> *"Bueno, no a menos que el trabajo sea tan formidable que valga la pena desarraigar a mi familia y dejar a mis parientes y amigos. ¿Requiere este puesto de un cambio así? Es evidente que estoy muy interesado en él, de manera que consideraría cambiar mi lugar de residencia".*

VARIACIÓN

- ¿Tiene alguna preferencia en cuanto a lugar de residencia?

¿PUEDO CONTACTAR A SU EMPRESA ACTUAL PARA PEDIR REFERENCIAS?

¿Por qué hacen esta pregunta? Es probable que usted piense: "Claro, después de que me contraten aquí y no tenga que preocuparme de que me corran por buscar otro empleo". No obstante, será mejor que diga:

> *"Desde luego, una vez que lleguemos a un acuerdo. Considero que es mejor que se enteren de esto a través de mí".*

 ## ¿PUEDO CONTACTAR A ALGUNAS PERSONAS QUE DEN REFERENCIAS DE USTED?

 ## ¿QUÉ QUIEREN ESCUCHAR?

"Claro que sí." Dígale al entrevistador que esa misma tarde o al día siguiente le proporcionará una lista de personas que darán referencias suyas.

¿Esta estrategia lo hace parecer poco preparado? ¿No debió presentarse a la entrevista con la lista en mano para entregársela al entrevistador?

Para ser franco, en el mundo de las entrevistas es normal tardarse un poco en dar referencias. La razón por la cual desea esperar es que desea avisarles a sus referencias que podrían recibir una llamada de la empresa donde usted solicitó empleo. Si espera que sus referencias digan cosas maravillosas acerca de usted, deben estar preparadas para hacerlo.

Advertencia: cada vez más empleadores se niegan a dar referencias debido al creciente número de conflictos, legales o no, relacionados con difamación y falsos testimonios. Dado que las referencias son información con cierto tinte de confidencialidad, es buena idea intentar saber qué es lo que se dice de usted a un empleador potencial. Como solicitante, quizá pueda acudir a un ex jefe o a su jefe actual para elaborar una narrativa de referencia de empleo que sea apropiada y conveniente para ambos. Con su consentimiento y participación, los ex jefes estarán más dispuestos a discutir sus fortalezas y debilidades, así como las circunstancias relacionadas con su partida, desde una perspectiva positiva.

 ## ¿HAY ALGO MÁS SOBRE USTED QUE YO DEBIERA SABER?

 ## ¿QUÉ QUIEREN ESCUCHAR?

Quizás usted crea que ya no le queda más por decir, pero debe hacerlo. Ésta es su oportunidad, presentada en charola de plata, para cerrar la venta. Usted sería muy tonto si la desperdicia.

Desarrolle una respuesta corta a esta pregunta que incluya sus fortalezas, logros, habilidades y áreas de conocimiento. Por ejemplo:

"Señor Gutiérrez, creo que lo hemos cubierto todo pero me gustaría hacer énfasis de nuevo en las ventajas que yo aportaría a ese puesto:

Experiencia. El trabajo que ahora desempeño es muy similar a éste y me emociona la posibilidad de aplicar lo que he aprendido en mi empleo actual al trabajar en su empresa.

Habilidades de dirección. Estoy a cargo de un departamento de tamaño similar a éste. Soy un supervisor eficiente y justo.

Éxito. He ganado dos prestigiosos premios de la industria y traeré aquí esa creatividad.

Entusiasmo. Estoy muy emocionado por la posibilidad de trabajar con usted aquí. ¿Cuándo tomará una decisión?"

Este tipo de respuesta deberá resaltar los puntos que ha intentado destacar a lo largo de toda la entrevista. Al finalizar con una pregunta, usted le solicita al reclutador que se ponga en acción. Ésta es una efectiva técnica de ventas que deberá indicarle sus probabilidades de obtener el empleo.

VARIACIONES

- ¿Por qué debería contratarlo?
- Si usted fuera yo, ¿se contrataría?

SOBRE EL DINERO

A nadie le gusta hablar de dinero durante una entrevista. De alguna manera, parece poco delicado pero eso no implica que deba evitar el tema por completo. Sólo recuerde que el tiempo lo es todo.

Mi propia regla es la siguiente: no hable de sueldo sino hasta después de haber convencido al entrevistador de que usted es el mejor candidato para el puesto.

Ésa es la razón por la cual he colocado la primera pregunta referente al salario hasta casi el final del último capítulo. Sólo hasta que ha superado todos los obstáculos que le han puesto, el entrevistador evaluará su habilidad y es probable que también tenga en cuenta a los otros contendientes, cuyos talentos pueden ser menos costosos que los suyos.

Pero incluso si el entrevistador intenta presionarlo para revelar una cifra específica al principio del juego, evite comprometerse y, en lugar de ceder, proponga un rango amplio; por ejemplo: "Creo que un salario justo para este tipo de puestos estaría entre 30,000 y 40,000".

Asegúrese de que la cantidad menor no sea inferior al salario mínimo que usted estaría dispuesto a aceptar por el puesto.

Una vez que el empleador haya tomado su decisión, usted se encontrará en una mejor posición para negociar.

 ¿QUÉ TIPO DE SALARIO PRETENDE USTED?

 ¿QUÉ QUIEREN ESCUCHAR?

Usted debe tener una idea bastante exacta de los límites de su propio mercado. Si no conoce los rangos de sueldo de su ciudad, estado o industria, investigue. Asegúrese de saber si esas cifras representan sólo dinero o un paquete de prestaciones que podría incluir seguros, programas de jubilación y otros beneficios de valor agregado.

Si usted es mujer, investigue cuánto ganan los hombres que desempeñan las mismas funciones; quizás encuentre alguna discrepancia pero debe solicitar y esperar ganar un salario equivalente, sin importar lo que sus predecesoras femeninas han ganado.

Incluso si ha estado sin trabajo durante algunos meses, éste no es el lugar ni el momento de permitir que lo domine la desesperación así que evite las explosiones de entusiasmo: "¡Guau! ¡Este trabajo parece tan genial que no puedo creer que vayan a pagarme! ¡Sólo déme una oficina y un teléfono y lo haré sólo por diversión!".

Confíe en su propio valor. Hasta este momento, usted se ha esforzado por venderle su valor como futuro empleado al entrevistador. Sólo recuérdele lo que ya ha decidido.

VARIACIÓN

⦿ ¿Cuánto cree que debería ganar en este puesto?

 EL SALARIO QUE USTED SOLICITA ESTÁ CERCA DEL LÍMITE SUPERIOR DEL RANGO PARA ESTE PUESTO. ¿POR QUÉ DEBERÍAMOS PAGARLE TANTO?

 ¿QUÉ QUIEREN ESCUCHAR?

Recuérdele al empleador los ahorros de costos y otros beneficios que disfrutará cuando se encuentre abordo. Por ejemplo, podría decir:

> *"Pude reducir los gastos de mi empleador previo en 10 por ciento al negociar mejores acuerdos con los vendedores. Creo que es razonable esperar que cualquier salario adicional que acordemos será adecuado por los ahorros que puedo ofrecerle a la empresa".*

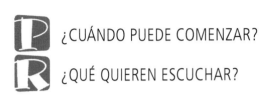

¿CUÁNDO PUEDE COMENZAR?

¿QUÉ QUIEREN ESCUCHAR?

Si usted ha sido despedido o perdió su empleo, puede comenzar de inmediato, desde luego, pero si aún trabaja para alguien más, usted debe avisarle a su actual empleador al menos con dos semanas de anticipación, en especial si deja un puesto de gran responsabilidad.

Sin importar lo ansioso que se sienta por comenzar en este nuevo empleo, sé que no debo recordarle que no es inteligente quemar puentes. ¡Nunca sabe cuándo tendrá que volver a cruzarlos! Así que sea tan conciliador como pueda. Por ejemplo, ofrézcase a encontrar y capacitar a la persona que lo sustituya.

Si pasarán varias semanas antes de que pueda asumir sus nuevas responsabilidades de tiempo completo, ofrezca comenzar a estudiar documentos o expedientes en sus horas libres o acuda a la oficina durante las tardes o fines de semana para conocer a los miembros del equipo y para familiarizarse con su nuevo territorio. Incluso es probable que le soliciten asistir a un evento o seminario de la empresa.

 LUZ ROJA

A pesar de que podría revelar sus verdaderos sentimientos acerca del empleo, el hecho de decir que no está seguro de cuándo puede comenzar implica, para mí, que usted no está seguro de aceptar el empleo.

Nunca admita que no puede comenzar en las próximas semanas porque desea tomarse unas vacaciones. Puedo entender que una persona siente la necesidad de "recuperarse" de una experiencia laboral amarga antes de registrar su entrada en un nuevo empleo, pero hay algo que me resulta molesto en esa respuesta. Tal vez sea la sospecha de que usted ya coloca sus necesidades sobre las mías; quizá sea difícil para mí esperar varias semanas. Tal vez sólo sea mi idiosincrasia, pero odio escuchar que alguien tomará vacaciones antes de trabajar para mí.

 ¿HABRÍA ALGO QUE LE IMPIDIERA ACEPTAR ESTE EMPLEO SI SE LO OFRECIERA?

 ¿QUÉ QUIEREN ESCUCHAR?

"No, en absoluto."

El entrevistador intenta hacer todo lo posible por dilucidar si usted aceptará el empleo, si se lo ofrece, y desea comenzar a hablar de la fecha de inicio, pero no tiene manera de garantizar ninguna de las dos cosas. Todo lo que puede esperar es otra oportunidad de darle voz a alguna preocupación oculta, como un salario insuficiente, un paquete de prestaciones escaso, un cubículo horrible, reportarle a muchas personas, soporte inadecuado, expectativas poco realistas de ventas o utilidades y similares.

 ¿CONSIDERA USTED OTRAS OFERTAS EN ESTE MOMENTO?

 ¿QUÉ QUIEREN ESCUCHAR?

Ésta es otra pregunta de cierre que me gusta hacer al principio del proceso para saber contra qué me enfrento. Desde luego, lo anterior bajo el supuesto de que usted sea honesto, lo cual, para ser francos, no es probable. A menos que usted crea que el entrevistador responderá de manera positiva a una admisión de este tipo, usted debe jugar sus cartas con mucha cautela. Es probable que no gane nada si admite que tiene otros ases bajo la manga, así que, ¿para qué alborotar inquietudes?

VARIACIONES

- Cuénteme acerca de las otras propuestas que tiene en mente.

- ¿Cómo se compara este puesto con los demás para los cuales se ha entrevistado?

REGLAS DE COMPORTAMIENTO PARA ENTREVISTAS

Una vez que descienda del escenario y dé un apretón de manos al entrevistador, es probable que recurra a todo su autocontrol para no chocar los talones y salir a la carrera de su oficina y que, en su prisa, olvide que el proceso aún no termina. Tanto si está a la espera de una llamada telefónica con una oferta o se dirige a su siguiente misión, he aquí algunas reglas que debe observar.

Pregunte cuándo se tomará la decisión de contratación. Si no obtiene una respuesta precisa sobre la fecha, es aceptable llamar al empleador para preguntarle cómo va el proceso con la vacante.

Escriba una nota de agradecimiento cuya redacción sea breve y amable. Agradezca al entrevistador por tomarse el tiempo de reunirse con usted y después reitere su interés en la compañía y el puesto. A continuación encuentre la manera de recordarle al entrevistador cómo puede aprovechar sus habilidades y experiencia para satisfacer algunos de los requerimientos básicos del puesto. Escríbala en un formato de negocios y asegúrese de que no incluya errores tipográficos o de ortografía.

Recuerde que, si se reunió con más de un entrevistador, debe enviar notas de agradecimiento a cada uno de ellos.

Muchos asesores ahora son tolerantes con las notas de agradecimiento vía correo electrónico. La ventaja, desde luego, es que puede enviar una a la computadora del entrevistador minutos después de haber salido de su oficina. Sin embargo, sea perceptivo: si aquél no es muy aficionado a la comunicación en línea, quizá encuentre impersonal su nota. Incluso si la envía por correo electrónico, yo también enviaría una nota impresa.

TOQUES FINALES

- **NUTRA SU RED.** Si un colega o ex socio lo refirió a esa empresa u organizó una presentación personal con el entrevistador o gerente contratante, asegúrese de enviarle una nota de agradecimiento también a esa persona.

- **REVISE LO BUENO Y LO MALO.** ¿Qué estuvo bien durante el proceso de entrevista? ¿Qué pudo hacer mejor? El punto no es condenarse por lo que dijo o pudo haber dicho. Usted sólo desea asegurarse de continuar con los aciertos y trabajar con aquellos detalles que no lo fueron con el fin de que su próxima entrevista sea mejor.

- **REVISE SU CURRÍCULUM VITAE.** ¿Hizo el entrevistador preguntas sobre algo que pudo haber redactado con mayor claridad? ¿Habló acerca de logros que olvidó incluir? Si es así, ahora es el momento de revisar su currículum antes de enviarlo otra vez.

- **MANTÉNGASE EN CONTACTO.** El proceso de contratación puede avanzar a paso de tortuga. Por lo regular, mientras mayor sea la corporación, más lento será el proceso, así que no caiga en pánico si pasan una o dos semanas sin saber nada. Quizá la ausencia de noticias signifique buenas noticias. Si el tiempo se alarga, es correcto llamar para averiguar si la vacante ha sido cubierta. Aproveche la oportunidad para recordarle al empleador su interés y sus cualidades. No obstante, yo no llamaría más de tres veces si no obtengo respuesta. El hecho de no recibir respuesta debe ser suficiente para que usted comprenda el mensaje.

- **ACEPTE... A SU PROPIO TIEMPO Y EN SUS PROPIOS TÉRMINOS.** Nunca acepte una oferta en el momento en que se la hagan. Tómese un día o dos para reflexionar al respecto. Dígale al entrevistador cuándo le hará saber su decisión. Si usted decide rechazar la oferta, con toda educación comuníquele al empleador por qué cree que no puede aceptar el puesto.

- **FELICÍTESE.** Usted logró superar con "bombo y platillos" una de las experiencias más estresantes de la vida. Ha demostrado ser un verdadero profesional. Ahora, vuele con sus propias alas.

20 preguntas inteligentes para formular en la entrevista

Las respuestas concisas, certeras, entusiastas y positivas a las preguntas del entrevistador le darán la oportunidad de demostrar sus conocimientos sobre la empresa e industria y mostrarán cómo sus capacidades le ayudarán a adaptarse a la perfección en el empleo. Formular preguntas concisas, certeras y bien estructuradas le proporcionará la posibilidad adicional de demostrar la extensión de su investigación, para profundizar en la empatía que usted haya establecido con el entrevistador y para resaltar lo que sabe y puede hacer por la empresa.

Por su naturaleza, estas preguntas proclaman que está interesado. De igual manera, la ausencia completa de preguntas convencerá a la mayoría de los entrevistadores de que no está interesado. Formular preguntas desde el principio y con frecuencia transforma una sesión tradicional y rígida de preguntas y respuestas en una conversación, y una conversación es la manera de explorar áreas de interés común, intercambiar comentarios y charlar en lugar de sólo hablar. En otras palabras, es la manera de establecer la química, ¡que es uno de los factores vitales para obtener cualquier empleo!

Las primeras seis preguntas pueden parecerle extrañas pues no se trata de preguntas que usted le haría a un entrevistador pero, en su mente, son mucho más importantes que las otras catorce. Son las preguntas que debe hacerse a sí mismo antes de aceptar cualquier empleo.

1. ¿Puedo hacer el trabajo?
¿De verdad está calificado? Sea honesto consigo mismo porque, si la respuesta es "no", ¡tarde o temprano dejará de ser un secreto para su jefe!

2. ¿Quiero el empleo?
Quizás ellos lo adoren y quieran contratarlo, pero es preferible asegurarse de que éste es un trabajo por el cual usted se apasionará. Si no es así pero planea aceptarlo de cualquier manera, al menos debe ser honesto y saber que se compromete por una razón que es válida para usted... tiene que comer.

3. ¿Conviene este empleo a mis planes a largo plazo?
Mientras más sólidas y consistentes sean sus metas a largo plazo, más fácil le resultará crear un camino profesional recto y dirigido en lugar de una simple serie de empleos que no tengan relación unos con otros. Así como puede afrontar y hacerse cargo de la entrevista, usted debe controlar su propio camino profesional. Asegúrese de haber analizado con honestidad si este empleo coincide con sus propias metas.

4. ¿Me adaptaré?
¿Le cayó bien la persona que sería su jefe? ¿Le agradaron los compañeros con quienes trabajará y aquellos que estarán a su cargo? Un empleo no sólo es un grupo de funciones; es una colección de ambientes creados por todas las personas que trabajan en la empresa. Quizás usted esté calificado para

responder a los desafíos mismos del puesto pero, si no soporta a la gente, ¿cuánto tiempo cree que durará?

5. ¿Podré vivir con lo que quieren pagarme?

Si su empleo ideal no paga la renta o la hipoteca, usted está en problemas. Pero su mayor problema será no haberse molestado en absoluto en pensar en sus necesidades financieras.

6. ¿Me siento seguro al trabajar en esta empresa?

Duplicar su salario puede ser magnífico. Las acciones en la bolsa pueden hacerlo rico o puede encontrarse de nuevo en las calles en un mes si usted no se ha tomado la molestia de hacerse esta pregunta. Siempre evalúe el paquete de prestaciones al tiempo que analiza la salud de la empresa. No importa cuánto le hayan prometido pagarle si la empresa se dirige hacia la bancarrota.

En caso de que su respuesta a estas primeras preguntas haya sido afirmativa y usted esté preparado para aceptar el empleo que le ofrecen, utilice las siguientes catorce para fundamentar su posición y asegurarse de que toma la decisión correcta.

7. Dadas mis calificaciones, habilidades y experiencia, ¿tiene usted alguna preocupación acerca de mi capacidad para convertirme en un miembro importante de esta empresa?

Es probable que no. Si usted no cumpliera con la suma de calificaciones solicitadas por Recursos Humanos no estaría hablando con nadie; no obstante, nunca estorba formular una pregunta diseñada para descubrir objeciones ocultas.

8. ¿Cuáles son sus metas para los próximos años?

Usted puede dirigir esta pregunta a Recursos Humanos o al gerente contratante. Si usted investigó al respecto antes de acudir a la entrevista, debe contar con información para elaborar una informada pregunta de seguimiento una vez que reciba una respuesta.

9. ¿Anticipa usted algún recorte de personal en un futuro cercano y, de ser así, cómo afectará a mi departamento o puesto?

A pesar de que la contratación de empleados por lo regular es señal de prosperidad en una empresa, los años pasados nos han brindado ejemplos de compañías que han contratado demasiado personal en poco tiempo y han tenido que deshacerse de esas nuevas contrataciones poco tiempo después. A pesar de que la persona a quien usted dirige esta pregunta no pueda predecir en futuro, su respuesta, combinada con su propio análisis sobre las tendencias de la industria, deberá darle una indicación pertinente acerca de posibles despidos masivos en un futuro cercano.

10. ¿Podría describir un día típico en este puesto?

La intención de esta pregunta es aclarar cualquier duda que usted tenga acerca del puesto. Puede utilizarla para enterarse de viajes, información y comunicación a distancia e interactividad. Si usted disfruta de un ambiente laboral interactivo, quizá quiera saber si el empleo al que aspira lo mantendrá atado a su cubículo todo el día y si la comunicación sólo ocurrirá a través del correo electrónico o implica un flujo constante de reuniones cara a cara, contacto con el cliente y llamadas telefónicas.

11. ¿Por qué está el puesto disponible? ¿Se trata de un puesto nuevo?

Los nuevos puestos implican crecimiento y éste podría ser un buen motivo para querer trabajar allí. Un nuevo puesto también podría darle más datos acerca de la descripción del cargo y de las tareas inherentes a él. Por otra parte, usted también podría descubrir que el puesto está disponible porque las últimas tres personas renunciaron o fueron despedidas, lo cual puede hacerlo dudar.

12. ¿Cómo se medirá mi desempeño en este puesto? ¿Cómo se mide el desempeño de este departamento?

En especial si el salario no es exactamente lo que usted desea, el proceso de revisión de desempeño indicará cómo es que la empresa maneja los bonos y los aumentos. La respuesta a esta pregunta le dirá lo que se espera de usted, cuánta responsabilidad tendrá sobre el resto del departamento y en qué proporción se relaciona el desempeño del equipo con su desempeño individual.

13. ¿Cómo describiría su estilo de dirección?

Incluso si usted está cómodo con el empleo, el departamento y la empresa, y le han respondido la mayoría de sus preguntas al respecto, nunca subestime la importancia del "estilo" de su jefe, la cultura corporativa y cómo se adaptará usted a ello.

14. ¿Qué tipo de personas tienen éxito en esta empresa?

Éste es un intento no velado por definirse a sí mismo de acuerdo con los atributos que el gerente mencione. Esperamos, desde luego, que el tipo de persona que él describa no sea tan remoto a su personalidad.

15. ¿Podría explicarme la estructura organizacional del departamento y sus funciones y responsabilidades primarias?

Una vez que usted haya decidido que en verdad está interesado en la empresa, querrá formular preguntas detalladas con el fin de obtener información específica acerca del departamento, el puesto y la gente. Las respuestas a estas preguntas incrementarán la información que usted ya tiene acerca del empleo y clarificarán la estructura de la empresa, a quién le reportaría usted, quién le reportaría y cómo se adaptará.

16. ¿Cuáles son los cambios que más le gustaría ver en este departamento?

Una vez que le respondan esta pregunta, su siguiente paso será describir cuán calificado está para implementar dichos cambios y cómo crecerá en ese nuevo ambiente. La respuesta también le indicará si los cambios, y el ejecutivo que los implemente, son razonables, así como el tipo de problemas que ya existen en su nuevo empleo en potencia.

17. ¿Hay algo más que yo pudiera decirle que le ayudara a tomar la decisión de contratarme?

Esta pregunta manifiesta su interés directo en el puesto y lo coloca en una posición de ayuda en lugar de sólo vender y pretender cerrar la venta al mismo tiempo. Existe, desde luego, una fina línea divisoria entre aparentar confianza y ser arrogante. Ajuste el nivel de audacia según el tono de la entrevista. Si ha hecho un buen trabajo al establecer empatía con el entrevistador y ha logrado una entrevista agradable tipo conversación, no hay razón para irrumpir como un dragón que escupe fuego cuando llegue el momento de cerrar la venta.

18. ¿Cuándo espera tomar una decisión y ocupar la vacante?

Para ser francos, incluso un vendedor tenaz evitaría presionar demasiado. El hecho de presionar al entrevistador a dar una respuesta un día específico o, peor aún, de inmediato, quizá sea una extralimitación incluso en las empresas más audaces. Sin embargo, puede utilizar esta pregunta para manifestar su poderoso interés en el empleo. Tal vez incluso lo haga parecer un candidato más atractivo, en especial si menciona que sólo quiere tener una fecha de referencia para saber si debe considerar sus demás ofertas de empleo.

19. ¿Hay eventos programados antes de mi fecha de inicio a los cuales pudiera asistir?

Mientras más sociable, mejor. Usted en verdad quiere ver a su jefe, colegas y subordinados en situaciones más informales. Si ellos permanecen rígidos y acartonados incluso en eventos sociales, ¡ahí también hay un mensaje! Por eso, un día de campo de la empresa es genial. Una reunión de convivencia en viernes por la noche está bien, aunque quizá represente un desafío social si usted es un tanto tímido. Sería muy benéfico poder asistir a alguno de esos eventos antes de tomar una decisión, aunque es poco probable. Sin embargo, si se realizará una gran conferencia de prensa o un evento corporativo similar, siempre puede solicitar que le permitan asistir. Un poco de contacto con los jefes para ver lo que dicen en público, en comparación con lo que le dijeron en la entrevista, puede ser muy revelador.

20. ¿Qué puedo hacer para motivar mi ingreso a mi nuevo departamento?

Esta pregunta confirmará al entrevistador que ha tomado la decisión correcta. ¡Qué pasión! ¡Qué interés! ¡Qué vigor!

ÍNDICE ANALÍTICO

Made in the USA
Lexington, KY
27 February 2011